Liste des Per
Écris ton nom ici...
... sinon, j'y mets le mien !
Ce livre appartient à
Papa
Ellen
Francis
Mlle Clarke
Mme Godfrey
Principal Nichols
Teddy
Coach John
M. Rosa
M. Staples
M. Galvin
Mme Czerwicki

BIG NATE

Le champion de l'école

Lincoln Peirce

BIG NATE

Le champion de l'école

Traduit de l'américain
par Jean-François Ménard

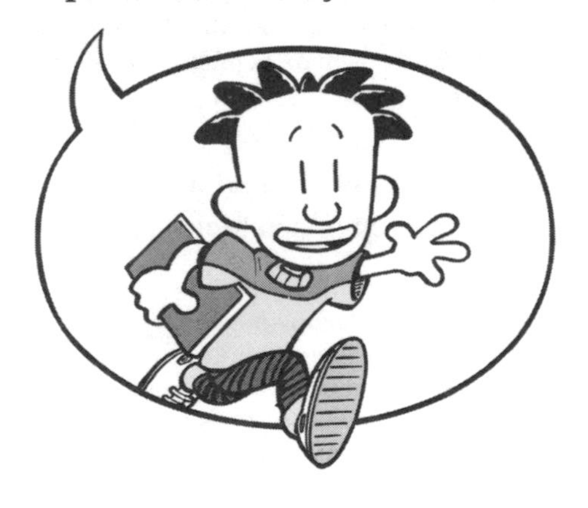

GALLIMARD JEUNESSE

« Le papier de cet ouvrage est composé de fibres naturelles, renouvelables, recyclables et fabriquées à partir de bois provenant de forêts plantées et cultivées expressément pour la fabrication de la pâte à papier. »

PAO française : David Alazraki
Lettrage : Simona Maccaroni

ISBN : 978-2-07-063909-0
Titre original : *Big Nate : In a Class by Himself*
Édition originale publiée par United Feature Syndicate, Inc., 2010, USA

N° d'édition : 181401
Loi n° 49-956 du 16 juillet 1949 sur les publications destinées à la jeunesse
Dépôt légal : juillet 2011
Achevé d'imprimer sur Roto-Page
par l'imprimerie Grafica Veneta S.p.A.
Imprimé en Italie

Pour Jessica

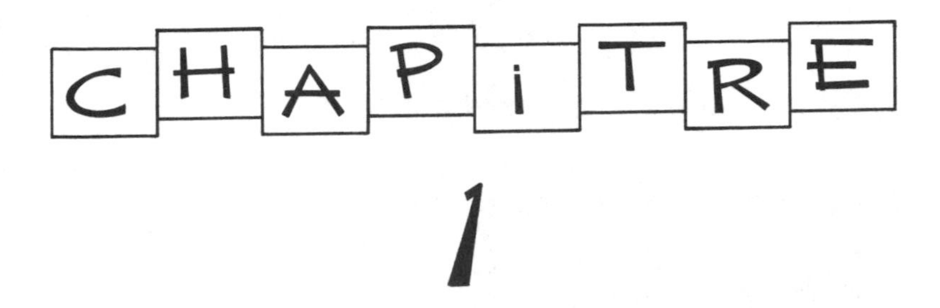

CHAPITRE 1

À QUELLE DATE GEORGE WASHINGTON A-T-IL ÉTÉ ÉLU PRÉSIDENT DES ÉTATS-UNIS ?

Elle aurait pu demander à n'importe qui.

Il y avait vingt-deux autres élèves dans la classe et ils avaient tous la main en l'air. Francis. Teddy. Gina, bien sûr. Même Nick Blonsky, qui est généralement assis au dernier rang avec un crayon

dans le nez, avait levé la main. Elle aurait pu demander à l'un d'eux, non ?

Devinez à qui elle a posé la question.

Elle fait toujours ça, Mme Godfrey. Elle m'interroge quand je ne connais pas la réponse. Elle est SÛRE que je ne sais pas. Vous avez déjà entendu dire que les chiens sentent la peur ? Mme Godfrey est comme les chiens.

Un gros chien laid et méchant.

Je me ratatine sur ma chaise. Toute la classe me regarde. Mes oreilles commencent à chauffer, puis mes joues. Je sens de minuscules gouttes de sueur se former sur mon front.

– Alors ? aboie-t-elle.

Il paraît qu'en moyenne, on utilise dix pour cent de son cerveau. Eh bien, moi, assis là avec la bouche plus sèche qu'un sac de sable, j'aimerais bien que les quatre-vingt-dix autres pour cent viennent m'aider. Mais j'ai la tête vide.

Mme Godfrey s’écarte du tableau et s’avance vers moi. Elle paraît furieuse. Non, plus que furieuse. Féroce. Son visage est écarlate, je vois des gouttelettes de salive aux coins de ses lèvres. C’est répugnant. Je me prépare au choc…

Et là-dessus, la cloche sonne !

Elle sonne. Et continue de sonner. Sauf qu’on ne dirait pas vraiment la cloche du collège. On dirait plutôt…

J’étais en train de RÊVER ! ! Je cligne des yeux et pousse un grand soupir de soulagement.

Je n'ai jamais été aussi heureux d'entendre mon réveil. Ça ne veut pas dire que je suis disposé à me lever. Je referme les yeux et je retombe sur mon oreiller. Rrrroooonnn...

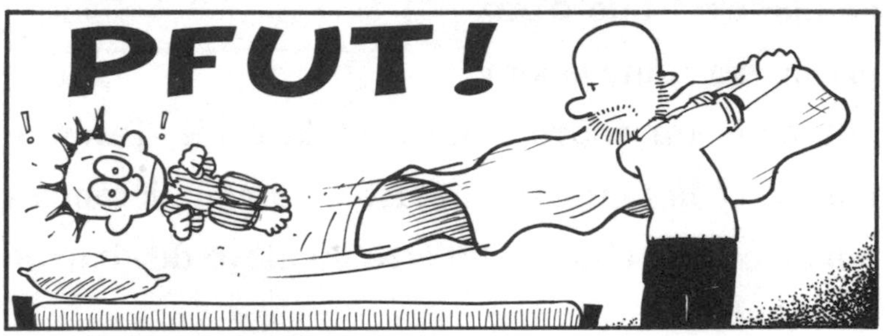

Merci, papa. C'est gentil de ta part. Une éducation tout en douceur.

En fait, il ne s'en tire pas si mal, comme père. Il fait le plus horrible ragoût de thon au monde mais il est inoffensif – surtout quand on le compare à certains pères cinglés que j'ai vus parfois aux matches juniors. Il est simplement ignorant. Il n'a aucune idée de ce que c'est que d'être moi.

À PROPOS DES PARENTS
Dès qu'on est chauve, on n'arrive plus à comprendre les moins de trente ans.

Il y était quand, au collège ? Ça doit faire trente ou quarante ans. Je pense qu'il a oublié ce que c'est que d'être prisonnier toute la journée dans un endroit qui sent la craie, l'ammoniaque et la viande douteuse. Il a complètement oublié ce que c'est que d'être un élève de sixième modèle standard.

Quoique je n'aie rien d'un élève standard. D'accord, je ne suis pas le roi du tableau d'honneur, mais dites-moi un peu : quand je me retrouve dehors, dans le monde réel, qui ça va

intéresser que je sache le nom du vice-président de Warren G. Harding ? (Et ne faites pas comme si VOUS le saviez, ce serait un mensonge.) Moi, je veux utiliser mes talents pour autre chose que m'encombrer la mémoire de faits inutiles. J'ai de plus hautes ambitions.

Je suis…

Je ne sais pas exactement à quel GENRE de gloire je suis promis, je verrai ça plus tard. Il y a tout un choix. J'ai affiché une liste sur la porte de mon placard à ce sujet.

En revanche, je n'atteindrai JAMAIS la gloire dans l'opéra, la nage synchronisée ou le toilettage des chats. Mais parlons d'autre chose.

Revenons à ce triste fait : aujourd'hui est une journée d'école. Mais de quel GENRE ? Les journées d'école ne sont pas nées égales. On peut les classer par catégories. (Il faut vous dire que j'aime bien les classements. Un jour, j'ai passé un week-end à classer toutes les choses à manger que je connais. Premier : Doodle Cheeze. Dernier : galettes de riz.)

À PROPOS DE PAPA
Quand il a donné des galettes de riz pour Halloween, la maison a été bombardée d'œufs. Il n'y aurait pas un rapport, papa ?

Si je devais noter les journées d'école comme dans un carnet scolaire, voilà ce que ça donnerait :

18/20 LES JOURS DE SORTIE

Je ne parle pas des sorties lamentables quand le prof vous fait faire le tour du quartier le Jour de la Terre pour ramasser des détritus. Je parle des vraies sorties qui durent la journée avec voyage en car. Même si on vous donne une liste de questions dans l'espoir que vous aurez appris quelque chose, on peut toujours y couper. C'est ce que j'ai fait il y a un an quand on a visité l'aquarium.

13/20 LES JOURS D'ÉVÉNEMENTS

C'est quand la classe est écourtée par quelque chose de beaucoup mieux, un film ou une réunion. Ou mieux encore, une urgence comme le jour où la perruque de Mme Czerwicki a pris feu et déclenché l'alarme incendie dans la salle des profs. On a dû évacuer le collège et on a fini par faire une fantastique partie de Frisbee sur la pelouse. C'était fabuleux. Pour tout le monde sauf pour Mme Czerwicki.

8/20 LES JOURS DE REMPLAÇANTS

Je trouve que les remplaçants sont presque toujours meilleurs que les vrais profs. Par « meilleurs », je veux dire « plus naïfs ». Mes remplaçants préférés sont ceux qui viennent d'avoir leur diplôme et n'ont jamais enseigné de leur vie. Franchement, ils ne sont pas brillants. Ou alors très crédules.

6/20 LES JOURS NORMAUX

Hélas, le plus souvent, on passe six heures pleines d'action à étudier des sujets aussi passionnants que la photosynthèse ou la guerre de 1812. Palpitant. Et quand on rentre après l'école, vos parents vous demandent :

On réfléchit pendant dix bonnes secondes et on répond :

0/20 LES JOURNÉES CATASTROPHES

Tant de désastres peuvent se produire au cours d'une journée d'école qu'il est impossible d'en

établir la liste. Il peut y avoir un prof (en général Mme Godfrey) qui vous hurle à la figure sans aucune raison. Ça m'arrive souvent. On peut se faire malmener par Chester, la brute du collège qui doit sûrement ajouter des hormones de croissance dans son chocolat. Ou alors, on se retrouve avec un contrôle ou une interrogation écrite qu'on n'avait pas prévus.

Une pensée terrifiante me vient soudain à l'esprit. Est-ce qu'on a un contrôle, aujourd'hui ? Je ne me souviens pas qu'un prof en ait parlé. Mais, comme je l'ai déjà signalé, je ne me souviens jamais très bien de ce qu'ils racontent. Je perds le fil dès que retentit le :

ALLONS, ASSEYEZ-VOUS !

(« Asseyez-vous » en langage prof signifie : « La séance d'ennui mortel va commencer. »)

BLA BLA BLA BLA BLA BLA BLA BLA
BLA BLA BLA BLA BLA BLA BLA
BLA BLA BLA BLA BLA BLA
BLA BLA BLA BLA AU FAIT,
VOUS AUREZ UN CONTRÔLE
DEMAIN BLA BLA BLA BLA
BLA BLA BLA BLA BLA
BLA BLA BLA BLA BLA
BLA BLA BLA BLA BLA
BLA BLA BLA BLA
BLA BLA BLA BLA BLA

C'est dans ces moments-là que j'aimerais bien être un peu plus attentif. Comme Francis.

Francis !!! Lui, il saura si on a un contrôle aujourd'hui !

Ce qu'il y a avec Francis, c'est qu'il sait toujours tout sur tout. Il est sans cesse plongé dans son encyclopédie et il prend l'école très au sérieux. Disons-le, c'est une sorte d'intello. Je peux l'appeler comme ça parce que c'est mon copain. On se connaît depuis notre premier jour de maternelle quand il a ronflé pendant la sieste. Je lui ai donné un coup sur la tête avec ma boîte à goûter en forme de locomotive et, depuis, on est les meilleurs amis du monde.

Voyons s'il est déjà levé.

Ouais, il est debout. Et il lit, bien sûr.

Mais… Au fait ! Qu'est-ce qu'il lit ?

DONC, on A un contrôle, aujourd'hui ! !

Ça va mal. VRAIMENT mal. D'abord, parce que mon livre d'histoire-géo est dans mon casier à l'école. Ensuite, parce que je viens de me rappeler ce que Mme Godfrey m'a dit après le dernier contrôle :

6+
SI TON PROCHAIN CONTRÔLE EST AUSSI MAUVAIS, IL FAUDRA QUE TU AILLES EN CLASSES D'ÉTÉ !

Arg ! On a histoire-géo en première heure.
Ça me donne environ quarante-cinq minutes pour réviser mes notes.

AH! ICI! IL

...EST
AÏE, AÏE...

Nate Wright
Nate Wright
Nate Wright
La Guerre de 1812
de 1812
SUPERBE
ARRÊT!
COIN!
PAF!
Mayday! MAYDAY!
Attention!
JOLI COUP!
M S C O
U D
F
B I G N A T E
JENNY + NATE
A B C D E F G H I J K L M N O P Q R S T U V W X Y Z
M. GALVIN!
Pourquoi ne suis-je jamais respecté?
COL 38

Apparemment, mon cahier ne va pas beaucoup m'aider. À moins que Mme Godfrey décide de donner des bonnes notes pour griffonnage.

Je suis mort.

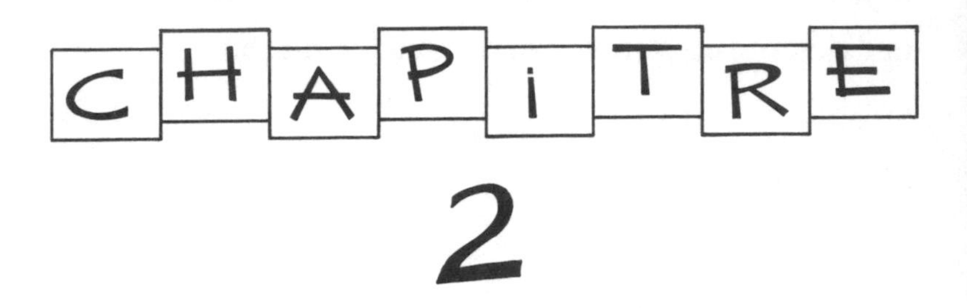

CHAPITRE 2

« Le petit déjeuner est le repas le plus important de la journée. »

Vous avez remarqué qu'on vous dit toujours ça juste avant de vous coller sous le nez un bol de flocons d'avoine pleins de grumeaux ?

BON APPÉTIT !

POURVU QU'IL Y AIT DES RAISINS SECS !

Papa me fait un discours sur le régime riche en fibres qui a changé sa vie mais j'écoute à peine. Je suis paniqué par le contrôle d'histoire-géo qui pourrait m'envoyer en classes d'été.

« Classe. » « Été. »

Deux mots qui ne vont vraiment pas ensemble. Comme « flocon » et « avoine ».

Je n'ai aucune idée de ce que peuvent être des classes d'été. Francis dit que ça doit être comme une classe normale, mais en plus chaud.

Mais d'autres disent qu'en classes d'été, les profs vous font travailler. Et il ne s'agit pas de faire des devoirs ou d'étudier des manuels, mais de gratter le chewing-gum sur les tables ou de récurer les toilettes des vestiaires (j'espère que ce n'est pas vrai parce qu'elles sont absolument dégoûtantes). Ça paraît affreux.

Le seul qui soit allé en classes d'été, c'est Chester. Je pourrais lui demander comment c'est. Mais la dernière fois que je lui ai demandé quelque chose, il m'a jeté dans une poubelle.

Il est un peu cinglé.

En tout cas, je ne vois pas ce qu'il y a de plus abominable que de passer l'été en classe.

Soudain, pile au bon moment… ELLEN ARRIVE.

Si, en fait, je VOIS ce qu'il y a de plus abominable. Les classes d'été durent deux mois. Une sœur de quinze ans dure toute l'année. Jusqu'à ce qu'elle en ait seize, ce qui doit être encore pire.

Les sœurs n'ont pas besoin d'être adolescentes pour être odieuses. Elles sont tout simplement nées comme ça.

Si vous avez une sœur aînée, vous savez de quoi je parle. Vous ressentez la même souffrance que moi. Si vous n'en avez PAS, félicitations. Et bienvenue dans mon cauchemar.

À PROPOS D'ELLEN
Tous les deux mois, elle n'aime plus son rire, alors elle en change.
HA! HA! HA! NON, ÇA NE VA PAS...

LES 5 CHOSES LES PLUS AGAÇANTES CHEZ ELLEN!
5. Elle supplie sans cesse papa de lui acheter un chat.
On l'appellera Miss Bisouchette!

AGAÇANTE
PLUS QU'AGAÇANTE
PIRE QU'AGAÇANTE
4.
Celui-ci s'appelle «Mort d'un putois»!
Elle porte un parfum qui fait penser à un magasin de cadeaux plein de bougies aromatisées.
3.
Elle a eu un karaoké pour ses douze ans et elle ne s'en lasse toujours pas.
Il n'y a que l'amooouur…
Achevez-moi… par pitié!
2.
Qu'importe l'effet de serre!
PSHHIT!
PSHHIT!
Avec tous ses produits pour les cheveux, elle détruit la couche d'ozone à elle toute seule.
1.
À part moi, personne ne voit à quel point elle est totalement INSUPPORTABLE.
Adulte ignare
Ellen, tu es fabuleuse!
Oui, je sais!

Vous voulez savoir pour quelle autre raison Ellen est insupportable ? Elle n'a pas mon genre de problème. Elle n'aura jamais peur d'aller en classes d'été parce qu'elle a toujours été une bonne élève. Et on ne se prive pas de me le rappeler.

PRENDS DONC EXEMPLE SUR TA SŒUR !

C'est ça. Comme si c'était mon but dans la vie : ressembler à une pom-pom girl. Merci bien mais non merci.

N

Hein ? Ah, oui, papa m'a parlé.

Ajouter « Impossible de la faire taire » à la liste des choses qui rendent Ellen insupportable.

Hum. Je ne crois pas que papa ait avalé ça. J'ai eu droit au « Regard ».

LE REGARD
Niveau 1 sur le soupçonomètre de papa. Signifie qu'il se doute que je lui cache quelque chose.

L'ŒIL PLISSÉ
Le niveau 2, c'est sa façon de dire : «Tu ne parles sans doute pas sérieusement.»

LE GROS ŒIL
Le niveau 3, c'est quand son œil sort de son orbite. Attention, il va devenir fou de rage.

Pour l'instant, il n'en est qu'au niveau 1, mais je devine la suite. J'ai donc intérêt à filer avant qu'il ne pose d'autres questions.

Pfou ! C'était juste. Il ne se doute pas que je vais peut être finir en classes d'été.

À moins qu'il ait des conversations secrètes la nuit avec Mme Godfrey.

IL EST TEMPS DE TROUVER UNE SOLUTION.

C'est gentil de dormir sur mon chemin, Spitsy. Tu ne voudrais pas plutôt chasser les écureuils ?

Spitsy appartient à M. Eustis, notre voisin. Au cas où le stupide gilet pour chien et la collerette ne vous auraient pas mis sur la voie, Spitsy est un chien idiot. Il a peur des facteurs. Il mange ses propres crottes. Et ne lui lancez pas une balle de tennis. Le jour où je l'ai fait, il a dû subir un lavage

d'estomac à la clinique vétérinaire. C'est une longue histoire.

Mais je ne veux pas dire du mal de Spitsy. Il est gentil. Après tout, c'est un chien et j'aime bien tous les chiens. Sauf peut-être les horribles petits chihuahuas sans poils.

À PROPOS DE SPITSY
Il adore Pickles,
le chat de Francis.

Ça doit être agréable d'être toi, Spitsy. Tu traînes toute la journée à dormir au soleil. Tu n'as pas à te soucier du « gros œil ». Ou des grandes sœurs. Ou des profs.

ET SURTOUT, TU N'AS PAS À TE SOUCIER DES CONTRÔLES D'HISTOIRE-GÉO.
SPITSY

ATTENDEZ ! Peut-être que moi non plus, je n'ai pas à m'en soucier !

Si j'arrivais à y échapper ?

Si j'arrivais à convaincre Mme Godfrey de me faire faire le contrôle demain au lieu d'aujourd'hui ? Je prendrais le cahier de Francis et je réviserais toute la nuit. Ça me donnerait au moins une chance de réussir ce truc idiot.

Voilà pourquoi les chiens valent bien mieux que les chats. Les chats ne vous aident JAMAIS. Ils restent couchés dans la maison ou se font les griffes sur les meubles ou se lèchent le poil.

Bon, réfléchissons. Comment échapper à ce contrôle ?

C'est facile de trouver un plan. L'ennui, c'est que, quand j'en trouve un, je trouve aussi la raison pour laquelle il ne marchera pas.

PLAN A : LA MALADIE

Dès le début du contrôle, je retiens mon souffle jusqu'à ce que je devienne tout rouge. Puis je dis à Mme Godfrey que je me sens mal.

CAUSE DE L'ÉCHEC

Elle a toujours un thermomètre dans son tiroir.

PLAN B : BLESSURE

Je m'entoure la main d'un bandage et je dis que je ne peux pas écrire car j'ai le poignet foulé.

CAUSE DE L'ÉCHEC

Elle me fera écrire de la main gauche.
Elle est assez méchante pour ça.

PLAN C : L'ACCIDENT

En entrant en classe, je fais semblant de me cogner la tête contre la porte et je joue les amnésiques.

CAUSE DE L'ÉCHEC

Je l'ai déjà fait il y a quinze jours.

PLAN D : LA VÉRITÉ

Je vais voir Mme Godfrey, la regarde dans les yeux et lui dis que je ne savais pas qu'il y avait un contrôle.

CAUSE DE L'ÉCHEC

Cette femme me hait.

Tout ça ne mène nulle part. Il me reste vingt-cinq minutes avant le contrôle. Vingt-cinq minutes avant que Mme Godfrey n'abatte sur moi le couperet des classes d'été.

Je regarde ma montre. Plus que vingt-QUATRE minutes. Arg !

Je commence à penser que le seul moyen d'éviter le contrôle, ce serait de... de...

... ne pas aller au collège, tout simplement !

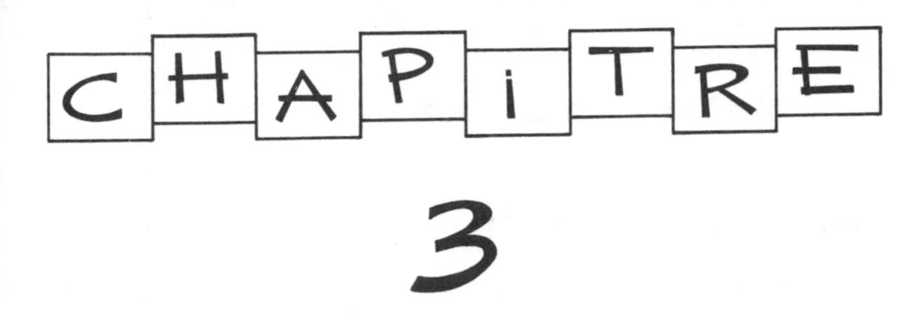

Ouais ! J'ai trouvé ! Je n'y vais pas ! Je prends ma journée ! Je dirai que quelqu'un vient d'inventer un nouveau jour férié !

... je vais m'arrêter là.

Qu'est-ce que je raconte ? Personne ne peut s'en tirer comme ça au collège 38. Impossible.

Pourquoi ? Deux mots : « LA MACHINE. »

Ce n'est pas une VRAIE machine, comme le truc bizarre du concierge pour astiquer le carrelage. On ne peut pas la toucher du doigt. Mais elle est bien là.

La Machine vous épie. Elle sait tout de vos moindres gestes. Et si vous n'êtes pas là où vous devriez être, elle vous retrouve. Voici comment :

1. LE PLAN DE CLASSE

Les profs vous attribuent une place d'office. Pour se souvenir des noms des élèves, disent-ils. Comme si nos noms les intéressaient.

EN FAIT, c'est pour nous surveiller. Un coup d'œil à leur plan de classe et ils voient que vous n'êtes pas à votre place. Alors, la Machine se met en marche.

2. LA FEUILLE D'APPEL

Les profs notent tout. Dieu sait pourquoi.

À chaque cours, ils font l'appel. Si vous n'êtes pas là, vous avez droit à un gros X rouge à côté de votre nom. Félicitations. Vous êtes absent.

3. LE (LA) VOLONTAIRE POUR AIDER LE PROF

On a vu un film sur les abeilles. Une grosse reine était assise bien tranquille pendant que des petits bourdons faisaient tout le travail.

Ça ne vous rappelle rien ?

Les profs sont les reines des abeilles. Devinez qui sont les petits bourdons ?

Ce sont toujours des lèche-bottes comme Gina qui font ça, parce qu'elle est prête à tout pour avoir des bonnes notes. Tant mieux pour toi, Gina. Une carrière de volontaire en sixième te vaudra sûrement une place dans une université huppée.

Le secrétariat. Le moteur qui fait tourner la Machine. Et en son centre il y a…

4. LA SECRÉTAIRE DU COLLÈGE

Mme Shipulski n'est pas méchante. Ce n'est pas SA faute si on l'oblige à relever les absences.

(Et je ne lui en veux pas de m'avoir dit tant de fois : « Nate, le principal veut te voir. »)

Elle est rapide pour une vieille dame. Elle vérifie toutes les feuilles d'appel en un clin d'œil. Et dès qu'elle repère le X rouge à côté de votre nom, elle téléphone à vos parents.

Voilà. Vous voyez comment marche la Machine ? Comme elle est efficace ? On n'est jamais gagnant. Elle est invincible.

Voilà ma situation. Si je fuis dans les bois avec Spitsy, cinq minutes plus tard, Mme Shipulski activera la ligne directe de papa. Alors, les classes d'été seront le DERNIER de mes soucis. Je serai suspendu. Ou renvoyé. Peut-être expédié dans une école militaire où on vous colle un uniforme sur le dos, on vous coupe les cheveux à ras et il faut finir chaque phrase par « mon adjudant ».

Ça règle la question.

Manquer les cours est totalement exclu. Je dois me montrer un peu plus inventif. Il me faut un motif d'absence.

Un motif d'absence signifie que vous allez en classe normalement mais avec un mot de vos parents disant que vous devez être quelque part à une certaine heure. Et hop ! Vous êtes libre. Hier, Alan Olquist est parti en plein cours parce qu'il fallait lui enlever une verrue. Il y en a qui ont de la chance.

Il suffit donc que j'entre en classe avec un mot d'excuse de papa – disant par exemple que je dois aller chez le dentiste – et me voilà tiré d'affaire. Génial !

Oui, oui, je sais ce que vous pensez. Je n'ai pas de mot de papa. Mais je peux m'en occuper.

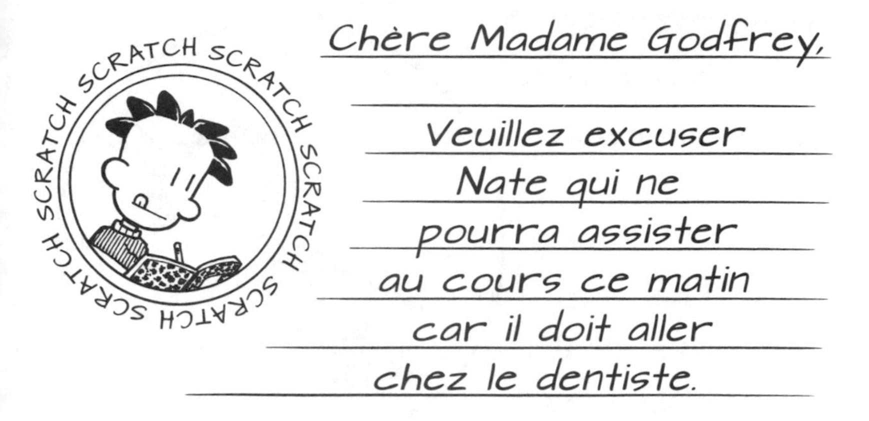

Chère Madame Godfrey,

Veuillez excuser
Nate qui ne
pourra assister
au cours ce matin
car il doit aller
chez le dentiste.

Wouao. Non. Ça n'ira pas. On dirait trop mon écriture. Mme Godfrey va s'en douter tout de suite. Elle est méchante et elle crie tout le temps, mais elle n'est pas idiote.

Il faut une écriture qui ait l'air plus adulte. Comme celle de papa. Un vrai gribouillis illisible.

Oups. Pas AUSSI illisible. Même moi, je n'y comprends rien.

C'est plus dur que prévu. Et il ne reste plus beaucoup de temps.

Chère Madame Godfrey,
Veuillez excuser Nate qui
ne pourra assister au cours
ce matin car il doit
aller chez le dentiste.

Hé ! Celui-là, on dirait un vrai ! Cette fois, on y croit !

Bonjour, mot d'excuse ! Adieu, contrôle ! Il suffit d'ajouter une fausse signature imitant celle de papa.

Heu… Réfléchissons un instant. Fausse. Faussaire. Arg !

Usage de faux, c'est un crime, non ? On va en PRISON pour avoir signé un chèque d'un faux nom ou s'être servi de la carte de crédit d'un autre ?

Comprenez-moi. Je n'ai rien de l'élève modèle. En salle de retenue, il y a une table à mon nom – littéralement. Mais je ne viole pas la LOI. Je ne veux pas sortir du collège avec des menottes.

Ce n'est peut-être pas une si bonne idée. Je ferais mieux de déchirer ce papier avant que quelqu'un n'arrive et...

Ouf ! C'est simplement Francis.

Voilà l'ennui d'avoir pour voisin son meilleur ami. Il est toujours là à s'approcher par-derrière et à se mêler de votre vie privée. Même si je n'ai rien à cacher.

Bon, d'accord, j'ai une toute petite chose à cacher.

– Rien du tout ? demande-t-il.

– Rien, réponds-je.

– On ne dirait pas que c'est rien.

Pourquoi joue-t-il les Sherlock Holmes avec moi ?

J'ÉCRIVAIS UN FAUX MOT D'EXCUSE...
POUR ÉCHAPPER AU CONTRÔLE D'HISTOIRE-GÉO.

Hum. Long silence gêné. Le visage de Francis a une expression bizarre. Un de ces airs moitié souriant, moitié songeur. Ou bien il désapprouve ce que je viens de faire ou bien il s'apprête à péter.

– Quel contrôle d'histoire-géo ? dit-il.

Francis fait le crétin, parfois. (Il m'arrive même d'oublier à quel point il est intelligent.)

– Le contrôle que je t'ai vu RÉVISER ce matin.

– Je ne révisais rien du tout ! dit-il.

– Alors, pourquoi tu lisais ton livre d'histoire-géo ?

– Parce que j'aime bien me cultiver !

Je préfère laisser de côté cette réponse consternante et je me concentre sur ce que Francis a dit juste AVANT.

– Alors… on n'a pas de contrôle d'histoire-géo ?

JE SUIS SÛR QU'IL N'Y A PAS DE
CONTRÔLE ! JE … AIS PARCE QUE
J'ÉCRIS TOUJOURS … QUE DIT LA PROF.
SI ON AVAIT UN … JE L'AURAIS VU EN
REGARDANT MON … BLA BLA BLA BLA
BLA BLA BLA … BLA BLA BLA BLA
BLA BLA BLA BLA … BLA BLA BLA BLA
BLA BLA BLA BLA … BLA BLA BLA
BLA BLA BLA … BLA BLA BLA
BLA BLA … BLABLA BLA
BLA BLA … BLABLA BLA
BLA … BLA

Ouais !… OUAIS !…

– En fait, dit Francis, le regard rêveur, j'aimerais bien qu'il y ait un contrôle aujourd'hui.

Désolé, Francis, mais quand tu te conduis comme le maire de Fayoteville, il est de mon devoir de te ramener à la réalité. Heureusement que je n'avais pas un plus gros livre sous la main.

La sonnerie. Pas vraiment une douce musique mais le nœud au creux de mon estomac a disparu. Pas de contrôle ! Pas de classes d'été ! Après tout, ce sera peut-être une journée à peu près acceptable !

Oui, décidément, les choses s'arrangent.

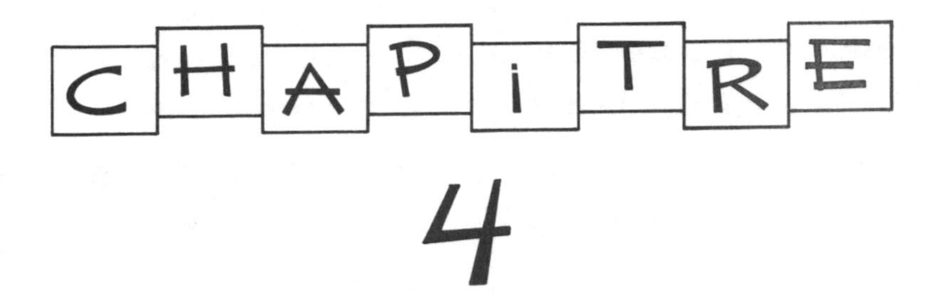

– Hé, Nate ! Tu fais la sieste ?

OU TU T'ENTRAÎNES POUR LA COURSE D'ESCARGOTS?

Voilà Teddy. Faites comme moi, n'écoutez pas ses blagues lamentables.

Teddy est mon AUTRE meilleur ami. Francis est le n° 1 parce que je le connais depuis plus longtemps, mais Teddy est le n° 1A. Il est fabuleux.

À PROPOS DE TEDDY
Il m'a appris à dire « Mme Godfrey est grosse » en espagnol.

¡SEÑORA GODFREY ES GRASA!
¡SÍ!

Au début, je ne savais pas très bien à quoi m'en tenir avec lui. C'est souvent comme ça avec les nouveaux. On les observe à distance pour voir s'ils sont cool ou pas. Avant d'être leur copain, on veut d'abord savoir si ce ne sont pas des cas désespérés.

Tu veux voir ma collection de gouttes pour le nez ?
Ok.
Qu'est-ce que j'ai dit ?
Un nouveau au hasard
Moi

Avec Teddy, c'était difficile à dire. Le jour de son arrivée, Nichols, le principal, m'a demandé de lui montrer les lieux. Teddy était sérieux et silencieux. Il n'a presque pas ouvert la bouche de toute la journée. Depuis, je lui ai souvent dit qu'il avait l'air d'un parfait idiot.

Et puis on a fait équipe en cours de sciences. On devait disséquer un calamar.

Au bout de cinq minutes, Teddy a pris un tentacule et a fait croire que c'était une morve géante.

C'était hilarant. J'ai éclaté de rire…

… et Teddy aussi. C'était la toute première fois que je l'entendais rire. On aurait dit une sorte de lama fou. On ne pouvait plus se retenir.

On riait tellement qu'on a laissé tomber notre calamar par terre. Et Mary Ellen Popowski a marché dessus, ce qui nous a fait rire encore plus.

Quand M. Galvin a vu ça, il est devenu furieux et il s'est lancé dans un Méga-Godfrey.

GLOSSAIRE
Quand un prof
craque et se met
à hurler, on appelle ça
un Méga-Godfrey.
(Quand c'est
Mme Godfrey qui le fait,
ça s'appelle un Lundi.)

On a dû nettoyer le calamar écrasé et s'excuser auprès de Mary Ellen, mais on n'avait pas l'air assez repentants parce qu'elle a continué à gémir que ses chaussures sentaient le calamar mort. Alors, moi j'ai dit que c'était un progrès par rapport à avant.

J'ai ENCORE dû m'excuser auprès de Mary Ellen.

Et nous avons eu deux semaines de retenue.

Quand on partage de tels ennuis avec quelqu'un, ça change l'opinion qu'on a de lui. En voyant Teddy accrocher ce calamar à son nez, je me suis dit qu'il devait être fréquentable. Et après avoir fait toutes ces retenues ensemble, j'ai su qu'on serait amis pour toujours.

Mais ça ne veut pas dire que je vais le laisser me battre à la course !

Ha ! c'est le moment de mettre le turbo !

JE VAIS AVOIR UN KILOMÈTRE D'AVANCE !

Aïe, aïe, aïe ! Le principal !

Ça pourrait très mal tourner. M. Nichols est le roi de la discipline. Il ne tolère aucun chahut. Et voilà que je le percute de plein fouet sur le chemin de son bureau. Attention. Il est sur le point d'exploser.

Comme je viens de le dire, Nichols est un type formidable !

– Je ne t'ai pas fait mal ? demande-t-il.

– Non, pas du tout, je réponds. Vous êtes comme un airbag géant.

Il vaut mieux que je me taise.

– Va, fiston, file, dit Nichols.

Mais il n'a pas l'air très désireux de m'avoir pour fiston.

Ouf ! Je ne me fais pas prier pour filer. J'aurais juré qu'il allait me mettre une retenue.

– Venez, les gars, dit Francis. Dans deux minutes, c'est la réunion.

ATTENDS, JE VAIS RANGER MON DÉJEUNER.

CLIC !

J'ai un petit problème d'organisation. Un de ces jours, il faudra que je range mon casier. Avec un camion-benne. Ou une allumette.

Mais je n'ai pas le temps maintenant. Tiens… Où est passé mon déjeuner ?

– J'ai quitté la maison si vite, ce matin, que j'ai oublié de mettre mon déjeuner dans mon sac à dos !

– Pas de problème, répond Teddy. J'ai ce qu'il te faut.

– Ah, bon ?

– Ouais ! dit-il. On est allés au chinois hier soir et il me reste une tonne de trucs.

Hum. Un biscuit surprise.

J'aime bien qu'on me prédise l'avenir. Les horoscopes, la boule magique, je connais bien tout ça.

(Au fait, je suis Scorpion, c'est-à-dire dynamique, loyal et doté d'un puissant magnétisme animal. En un mot, je suis craquant.)

Mais les biscuits surprises sont assez étranges. Ils devraient donner des prédictions sur votre avenir. Or, la moitié du temps, ils ne disent RIEN de ce qui vous attend. On y trouve simplement des proverbes ridicules.

Parfois, ils sont ennuyeux.

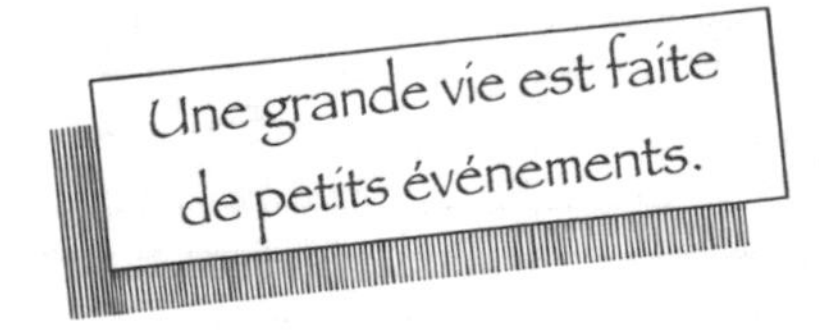

Une grande vie est faite
de petits événements.

SCRONCH
SCRONCH
EN PLUS, ILS ONT UN GOÛT DE POLYSTYRÈNE.

Parfois stupides.

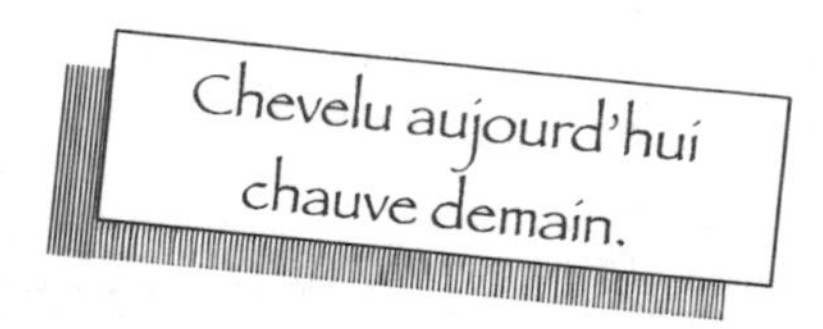

Chevelu aujourd'hui
chauve demain.

Parfois, comme le jour où papa nous a emmenés au *Sourire du panda*, ils n'ont aucun sens. Celui-là était si bizarre que j'en ai fait une B.D.

On peut dire que j'ai des relations d'amour-haine avec les biscuits surprises. J'en trouve rarement des bons mais je ne peux pas m'empêcher de les ouvrir.

Voilà ENFIN une bonne PRÉDICTION !

Aujourd'hui, vous
surpasserez tous les autres.

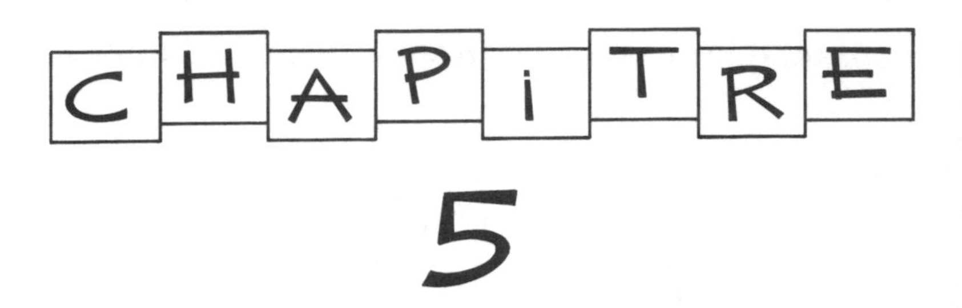

CHAPITRE 5

Je suis d'une humeur fabuleuse en allant à la réunion d'information. Pas à cause de la réunion. Il faut être complètement idiot pour trouver ça passionnant.

Vous comprenez ?

J'ai une chance incroyable. La journée s'annonçait totalement cauchemardesque et voilà que tout a changé !

– Qu'est-ce qui te rend si joyeux ? demande Francis.

– J'ai eu une nouvelle fantastique, je réponds. Je t'ai déjà dit que j'étais promis à la gloire ?

– Tu as dû en parler une ou deux fois… ou peut-être un trillion, soupire-t-il, les yeux au ciel.

– Eh bien, en voici la PREUVE ! dis-je en lui tendant la prédiction.

Francis la lit avec son air coincé qui signifie : « Qu'est-ce que c'est que ce truc-là ? »

– Surpasser tous les autres ? Les surpasser en QUOI ?

– J'ai de nombreux talents, lui dis-je. Ça pourrait être en n'importe quoi !

Francis me rend le papier.
– Pas en N'IMPORTE QUOI, ricane-t-il. On peut déjà éliminer de la liste la réussite scolaire.

Très drôle, Francis. Continue comme ça et tu ne seras pas dans mon équipe quand je serai riche et célèbre.

Ça sera génial d'être riche. Je pourrai payer des gens pour me faciliter la vie. Un chauffeur pour me conduire. Une grosse tête pour faire mes devoirs, quelqu'un qui achète mes vêtements, comme ça, pas besoin d'essayer des pantalons dans des petites cabines minables.
Je déteste ça.

Et j'aurai un chef qui me préparera des tas de bonnes choses. Je meurs de FAIM. Depuis ce matin, je n'ai avalé que deux cuillerées de flocons d'avoine pleins de grumeaux.

Je vais peut-être manger ce biscuit surprise.

GINA !!!

Ce que je peux la détester !

– C'est vrai, Nate ?
La voix de Mme Godfrey me transperce tandis qu'elle se soulève de sa chaise.

Aïe. Quand Mme Godfrey vous prend en train de manger, c'est la retenue automatique. Plutôt bizarre, vu qu'elle a une réserve de beurre de cacahuète dans son bureau. (Ne me demandez pas comment je le sais, j'ai mes sources.)

Hou là ! Elle est rapide !
Vite ! MÂCHER !

Avaler ! MAINTENANT ! !

Pfou. Juste à temps. J'engloutis les dernières miettes un instant avant qu'elle arrive devant moi, écumante.

– Hum, dit-elle en regardant attentivement.

Je ne vois rien. Je pense que tu as dû te tromper, Gina.

HA ! Gina reste sans voix ! Son petit plan pour m'attirer des ennuis n'a pas marché. Un RÉGAL !

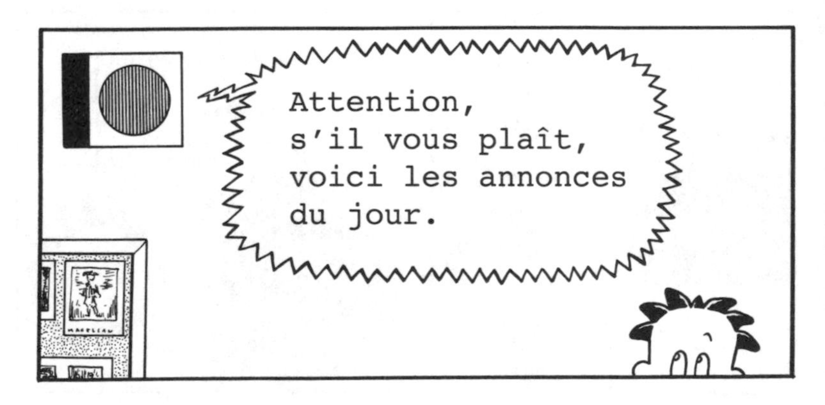

Oh, là, là. Des annonces. On mène vraiment une vie palpitante, ici.

M. Staples inscrira les élèves intéressés par le groupe de mathématiques.
C'EST ÇA ! COMME S'IL N'Y AVAIT PAS ASSEZ DE MATHS DANS MA VIE !
Au menu du déjeuner: ragoût de bœuf, haricots verts, salade de fruits.
ET TOUT ÇA A EXACTEMENT LE MÊME GOÛT.
Si vous allez à la bibliothèque, souhaitez un bon anniversaire à Mme Hickson qui a trente-neuf ans aujourd'hui!
À MULTIPLIER PAR SEPT, COMME POUR LES CHIENS.

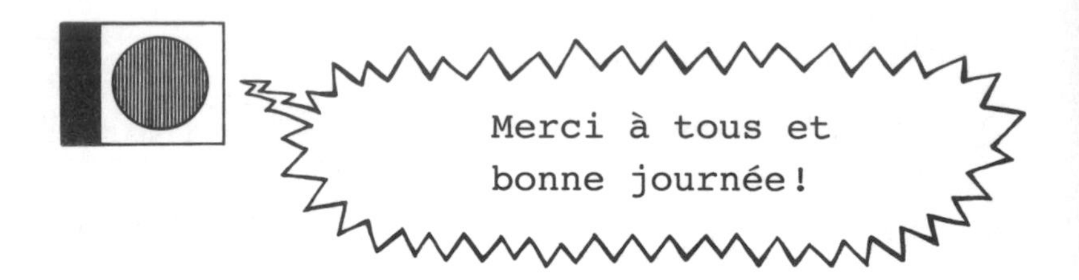

Merci à tous et
bonne journée!

Et voilà. Réunion terminée. Alors, pourquoi rester assis là ?

Parce que la réunion avec Mme Godfrey est suivie du cours d'histoire-géo avec... Mme GODFREY ! Quelle horrible façon de commencer la journée. Je sais maintenant d'où vient l'expression « un réveil brutal ».

Après l'histoire-géo, ça ne peut que s'améliorer. Voici le reste de mon emploi du temps :

2e HEURE : ANGLAIS
J'aime bien Mlle Clarke, mais les profs d'anglais pourraient-ils parler clairement de temps en temps ?

POUR LES RELATIVES NON DÉTERMINATIVES MAIS PAS POUR LES INDÉPENDANTES LIÉES PAR DES CONJONCTIONS.
HEIN ? QUOI ?

3e HEURE : DESSIN
C'est mon cours préféré. M. Rosa est trop fatigué pour nous apprendre quoi que ce soit. Ça c'est un bon prof !

4e HEURE : DÉJEUNER
On mange aussi vite que possible. Ensuite, on regarde les filles et on jette des carottes sur Brad Macklin.

5e HEURE : GYM
Quand on joue au hockey ou à la balle au prisonnier, c'est fabuleux. Mais quand on fait de la gym rythmique, on prie pour que personne ne nous prenne en photo !

6e HEURE : MATHS

À votre avis, les maths sont-elles :

1) D'un ennui mortel ?

2) Totalement inutiles ?

3) Le moment idéal pour faire la sieste ?

4) Tout ça à la fois ?

La bonne réponse est bien sûr le 4. C'est également la note que j'ai eue à mon dernier contrôle.

7e HEURE : SCIENCES

Le grand moment de l'année, c'est quand le dentier de M. Galvin est tombé pendant son cours sur les tremblements de terre. Depuis, je l'appelle Trembledent de Terre.

Je donne des surnoms à TOUS les profs. Je sais : TOUT le monde fait ça. Mais moi, j'y TRAVAILLE. C'est pourquoi je suis le grand maître officiel des surnoms au collège 38.

Un bon surnom doit être riche de sens. L'un de mes préférés pour Mme Godfrey est La Vénus de Silo. (L'idée m'a été inspirée par une célèbre sculpture qui s'appelle *La Vénus de Milo*.)

Vénus était la déesse de la Beauté et de l'Amour. Mme Godfrey est moche et n'aime personne. Voilà pourquoi c'est drôle.

Vénus est aussi le nom d'une planète. Mme Godfrey est semblable à une planète : énorme, ronde et gazeuse.

Un silo contient du fourrage pour les vaches. Mme Godfrey fait penser à une vache, surtout quand elle mange. Et ce n'est que l'un de

ses surnoms. J'en ai plein d'autres. Je peux même vous dire combien exactement…

JE VAIS VÉRIFIER SUR MA LISTE !

SURNOMS DE GODFREY

1. Godzilla
2. Sommeil.com
3. Envoyez la sauce
4. Celle dont on ne doit pas prononcer le nom
5. Le souffle du dragon
6. Et pourtant elle est vraie
7. La face cachée de la lune
8. Poulet trop cuit
9. Les devoirs avant tout
10. Ozone
11. Queen Kong
12. Pompe à gaz
13. Big bang
14. Le monde animal
15. Marteau piqueur
16. Phénoménulle
17. La mutante
18. Chichi con carne
19. La requine
20. Vénus de Sllo

Vingt et quelques surnoms ! Pas trop mal !

Arg ! Chopé.

Elle regarde la liste un bon moment. Son teint devient rouge, puis blanc. Je la vois serrer les mâchoires.

J'attends qu'elle se mette à hurler mais, pendant un temps infini, elle ne dit pas un mot. Elle m'observe, c'est tout. C'est pire que des cris.

Enfin, elle parle.

Elle chiffonne ma liste. Puis elle ouvre son tiroir et en sort un carnet.

J'ai déjà vu ce carnet.

Elle écrit quelque chose puis me tend un papier. Elle a un petit sourire au coin des lèvres. Mais le reste du visage paraît féroce.

– Apporte ceci à Mme Czerwicki à la fin des cours, me dit-elle.

BULLETIN DE RETENUE

ÉLÈVE : Nate Wright

PROFESSEUR : C. Godfrey

MOTIF DE LA RETENUE :

Insolence

– Insolence ? dis-je à haute voix. C'est quoi, ça ?

– Voici un dictionnaire, grogne Mme Godfrey.

Ça ne veut sûrement pas dire « promis à la gloire ».

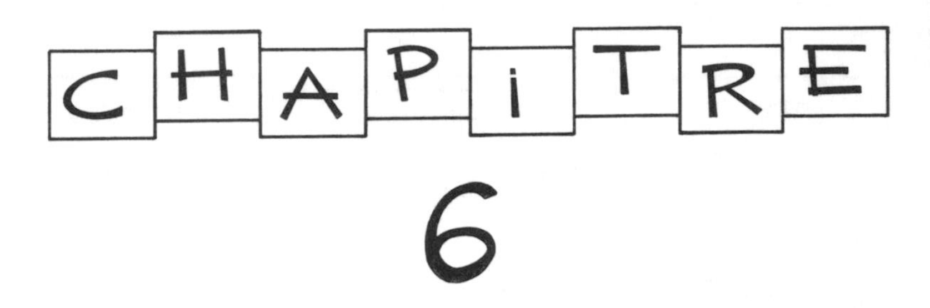

INSOLENCE : nom féminin

1. Comportement ou paroles manifestant un manque de respect ou une impolitesse méprisante.

2. Parole ou action d'une personne insolente.

– En fait, « insolence » signifie se conduire comme un sale môme, dis-je à Francis et Teddy en allant au cours d'anglais.

Je m'apprête à donner un coup de cahier à Teddy, mais je me souviens que je dépends de lui pour mon déjeuner et je décide de me montrer aimable.

Je fourre mon bulletin de retenue au fond de ma poche. Je ne vais pas laisser une petite retenue me gâcher la journée. Surtout après une prédiction aussi fabuleuse.

– À votre avis, ça veut dire quoi : « Vous surpasserez tous les autres ? » je demande.

– Que c'est sans doute une erreur. Tu as dû avoir la prédiction d'un autre, dit Teddy en rigolant.

– Ça ne dit pas seulement « Vous surpasserez tous les autres », rectifie Francis. Ça dit : « AUJOURD'HUI, vous surpasserez tous les autres ! »

Hum. Il a raison. Donc, la prédiction va sans doute se réaliser au collège. Chez moi, les seuls « autres » à surpasser sont…

… papa et Ellen. La joie !

– Donc, si la prédiction est vraie, dis-je, pour surpasser tous les autres, il me reste environ…

– Sans doute, dit Francis en haussant les épaules. Il est temps de t'y mettre.

Arg ! Jenny et Artur. Excusez-moi, j'étouffe.

Merci, Francis. Si tu préfères te taire, ne te gêne pas pour moi.

Et, au fait, TOUT LE MONDE ne l'adore pas. Je ne suis pas vraiment président de

son fan-club. Je ne dis pas que c'est l'abruti majeur. Simplement je n'aime pas du tout qu'il soit BON dans les mêmes choses que moi. C'est insupportable.

Les choses allaient beaucoup mieux avant l'arrivée d'Arthur.

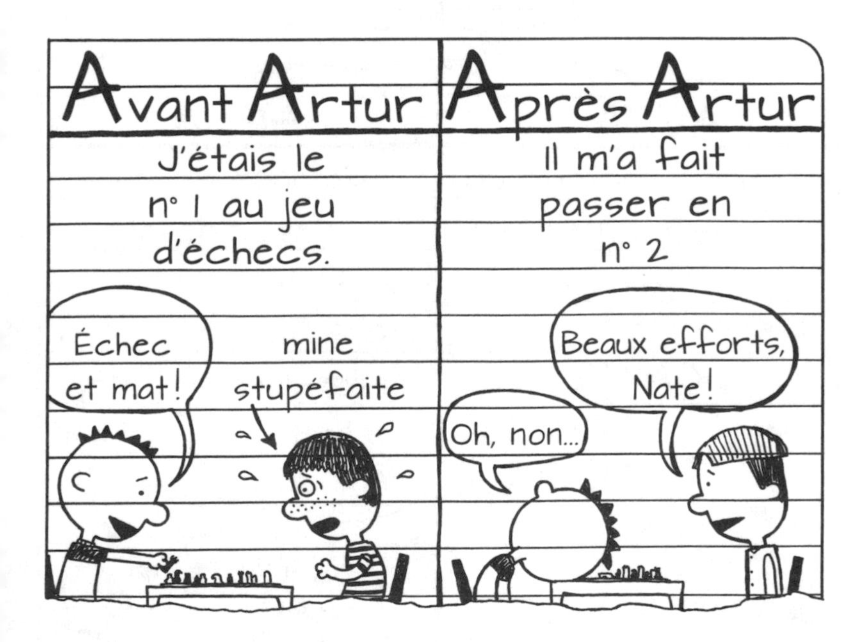

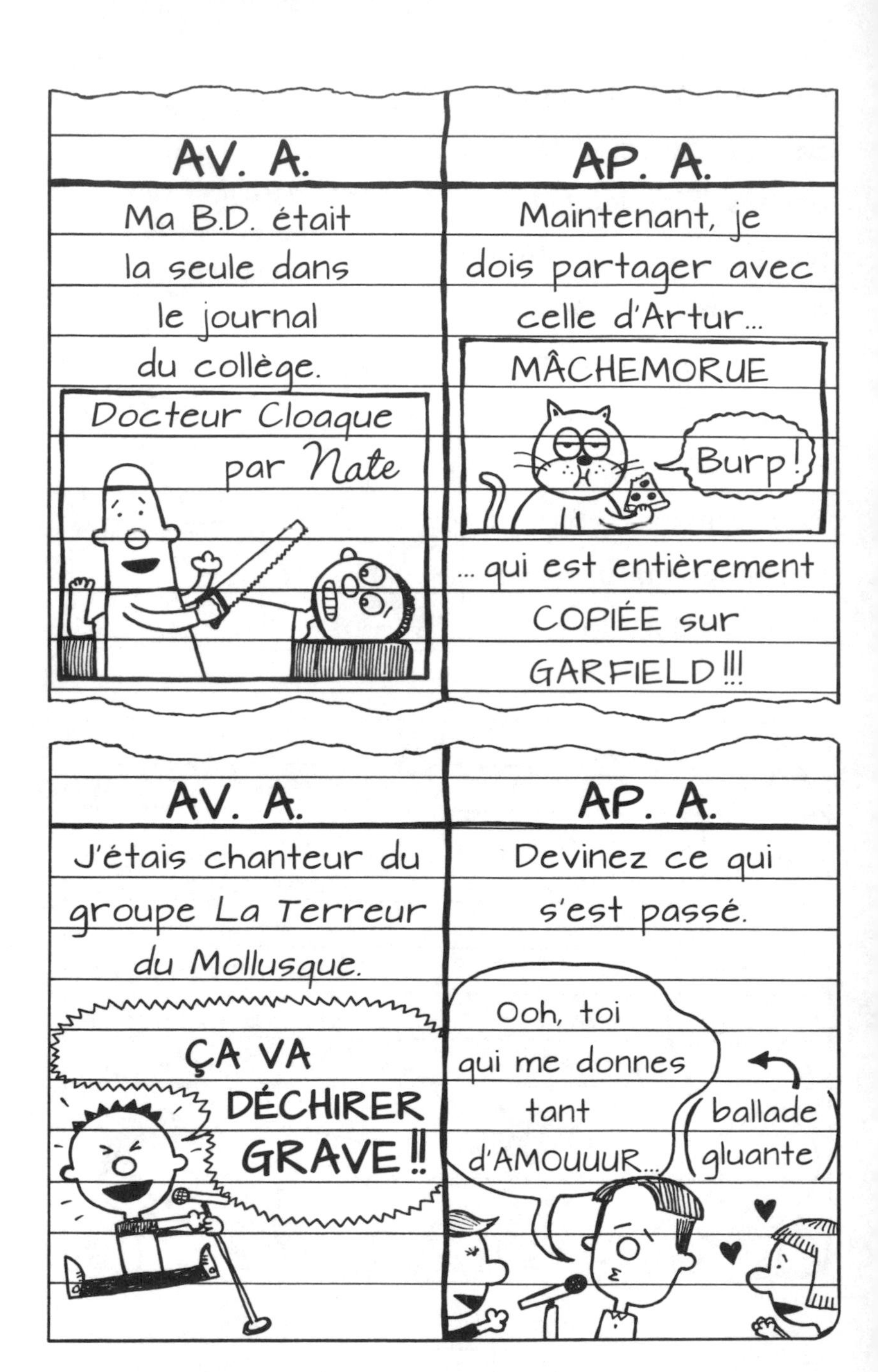
AV. A.
Ma B.D. était la seule dans le journal du collège.
Docteur Cloaque par Nate
AP. A.
Maintenant, je dois partager avec celle d'Artur...
MÂCHEMORUE
Burp !
... qui est entièrement COPIÉE sur GARFIELD !!!
AV. A.
J'étais chanteur du groupe La Terreur du Mollusque.
ÇA VA DÉCHIRER GRAVE !!
AP. A.
Devinez ce qui s'est passé.
Ooh, toi qui me donnes tant d'AMOUUUR...
(ballade gluante)

Donc, tout le monde trouve qu'Artur est une merveille. Moi, je m'en fiche, mais quand il s'est mis à sortir avec Jenny, ça m'a tué.

À PROPOS DE JENNY
Elle sort avec Artur depuis quatre mois, six jours et trois heures et demie. Mais on ne va pas se mettre à compter.

J'ai connu Jenny en C.P. et je l'ai toujours bien aimée. Je sais qu'au fond, elle m'aime bien aussi, même si elle FAIT comme si elle me détestait. J'ai toujours été sûr à cent pour cent qu'un jour, on ferait un couple fabuleux, tous les deux.

Là-dessus, Artur arrive et ils se mettent à jouer les Roméo et Juliette devant tout le monde. C'est grossier. C'est écœurant.

La PRÉDICTION !

« Aujourd'hui, vous surpasserez tous les autres ! »

Et si ça avait un rapport avec Jenny ? Peut-être que je vais surpasser Artur ? Jenny va peut-être le laisser tomber...

– Aujourd'hui, nous allons finir notre cours de poésie, annonce Mlle Clarke.

Pour moi, la poésie, c'était une bande de rigolos anglais en collants, qui écrivaient des sonnets avec une plume de paon, mais c'est bien plus que ça. Mlle Clarke nous a parlé de toutes sortes de poètes et nous fait écrire des poèmes dans un « cahier de poésie ».

CAHIER DE POÉSIE !

Nate Wright

Nate
poète
athlète
chouette
comète
basket
assiette
conquête

STROPHE par Nate Wright

J'ai dégusté beaucoup de friandises,
Il est vrai que certaines étaient exquises,
On peut dire que je me suis régalé
Mais jamais rien ne pourra égaler
Un grand sac géant plein de Doodle Cheeze.

HAÏKU par Nate Wright

Ah, les Doodle Cheeze.
Frais. Croquants. Croustillicieux.
Donnez-m'en un. Vite.

Ben !

ODE AU DOODLE CHEEZE par Nate Wright

Au supermarché, je cours comme un fou
À la recherche de ce délicieux goût,
Le voilà dans l'allée numéro neuf,
Pour seulement un dollar trente-neuf,
Ce sac de Doodle si appétissant,
Et il est écrit que c'est nourrissant !
Si vous saviez comme je souris
Lorsque je mange des Doodle frits !
Je savoure lentement chacun d'eux,
C'est comme un envol dans les cieux !
Je chanterai toujours les louanges
des Doodle Cheeze couleur orange.

Ça rime avec quoi, «Ben» ?
Yee-HA !
COIN
CRAC !

Cheeze
Cerise
Surprise
Valise
Exquise
Friandise

ON
OFF

Mlle Clarke continue de jacasser.

– Vous pouvez écrire le poème que vous voudrez, dit-elle. Un poème drôle ou sérieux, un poème d'amour…

Une HORREUR ? Pardon, mais les Doodle Cheeze ne sont PAS une horreur. Ils sont…

Attendez. Mlle Clarke a dit « poème d'amour », non ?

Un poème d'amour ! Ça peut marcher ! Jenny est folle de ces trucs-là. L'année dernière, elle était surexcitée quand Artur lui a donné pour la Saint-Valentin une carte ridicule achetée dans un grand magasin.

Je jette un coup d'œil à Jenny. Elle est occupée à enlever des peluches de son sweater, mais des ondes passent entre nous, je le sens.

Un plan naît dans ma tête.

1re ÉTAPE : J'écris un poème d'amour à Jenny. Mais pas du genre guimauve. Un poème qui dit : « Pourquoi Artur alors que je suis là ? »

2e ÉTAPE : Je glisse le poème dans son cahier à un moment où Artur n'est pas collé à elle comme une bande Velcro.

3e ÉTAPE : J'attends tranquillement que Jenny tombe folle amoureuse de moi.

Je n'ai encore jamais écrit de poème d'amour. Mais ça ne doit pas être très dur. Il faut trouver des mots qui riment avec Jenny.

GINA!!!! Elle ne peut pas s'occuper de ses oignons, celle-là ?

Je sens mes joues devenir écarlates. Je jette un rapide coup d'œil en direction de Jenny.

Elle a un drôle d'air. Artur aussi. Génial.

Gina s'y connaît pour tout gâcher. Maintenant, mon plan a zéro chance de marcher.

ADIEU, POÈME D'AMOUR !
SCHRIP ! SCHRIP ! SCHRIP ! SCHRIP ! SCHRIP ! SCHRIP !
NATE ?

Et voilà Mlle Clarke qui s'en mêle. De mieux en mieux.

– Tu n'arrives pas à trouver de sujet en dehors des Doodle Cheeze ? dit-elle avec un sourire.

– Heu… c'est un peu ça, je balbutie.

– La poésie vient du cœur, Nate, m'explique-t-elle. C'est là que tu trouveras ton inspiration.

Oui, d'accord. Je ne vois pas ce qu'elle veut dire, mais je hoche la tête. Toute la classe me regarde.

On ne pourrait pas passer à autre chose ?

Et là, je l'entends. Je suis le seul à l'entendre.

Gina rit.

Je lui lance un regard. Elle est confortablement installée sur sa chaise, avec un horrible petit sourire. J'ai l'air d'un imbécile devant tout le monde. Devant JENNY. Et GINA savoure chaque instant. C'est elle qui a fait ça. C'est sa faute. Le sang bat dans ma tête. Mlle Clarke me pose une question. Mais je l'entends à peine.

Ce que me dit mon cœur ?

Il me dit…

… QUE LA GROSSE GINA FERAIT MIEUX DE LA FERMER !!

OUPS !

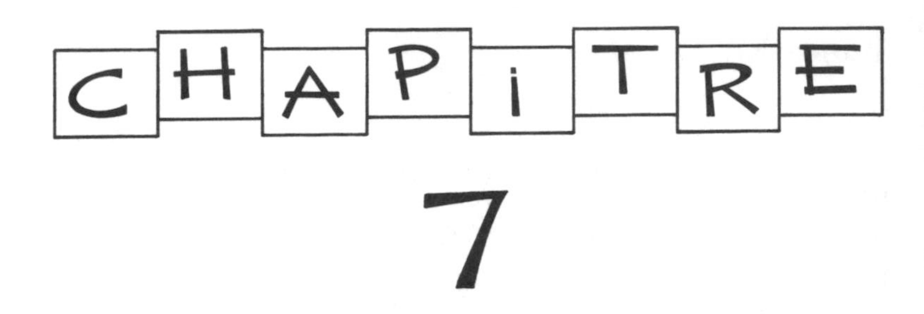

7

– Voyons si j'ai bien tout compris, dit Francis en sortant du cours d'anglais.

C'EST LA GROSSE GINA QUI FERAIT MIEUX DE LA FERMER ?
HÉ ! HÉ !

– Elle devrait, je marmonne en agitant le papier rose que Mlle Clarke vient de me donner. Pourquoi j'ai une retenue et Gina rien du tout ?

– Gina n'a jamais d'ennuis, dit Francis sur un ton d'évidence. Elle crée des ennuis aux autres.

Teddy prend le bulletin de colle et lit à haute voix :
– Motif de la retenue : perturbe la classe en insultant une camarade.

Francis hoche la tête.
– C'était TRÈS insultant.

– Tu plaisantes ? dis-je. Ce n'était RIEN ! Je peux être beaucoup plus insultant que ça !

C'est sur le point de tourner à un combat féroce de « Ta mère » quand Francis nous interrompt :

– Les gars, dit-il précipitamment. Regardez ça !

Je regarde. Qu'y a-t-il à voir ? Luke Bertrand et Amy Wexler sont en grande conversation…

Matt Grover essaye de déchirer le slip de Peter Hinkel…

… et cette drôle de fille dont j'oublie toujours le nom recommence à écrire sur ses bras.

Autrement dit, tout paraît normal.

– On doit regarder quoi ? je demande à Francis.

– Ben ! La VITRINE ! répond-il.

Le collège a deux vitrines. Celle à côté du bureau du principal est pleine de trophées moisis, avec des rubans sinistres décernés pour des concours de dictée, et de vieilles photos d'équipes de basket. (C'est quoi, ces TENUES ? on dirait des SOUS-VÊTEMENTS !)

Mais l'AUTRE vitrine est beaucoup plus cool. C'est là que M. Rosa expose les œuvres des élèves. Il en accroche toujours une au panneau central. Et en haut, il y a une banderole qui dit :

Si on a la vedette, c'est comme si M. Rosa disait à tout le monde…

Voici le PLUS GRAND artiste du collège !
Moi

Hé ! C'est peut-être ça !

Si une de mes œuvres est en vedette, ça veut dire que la prédiction était JUSTE ! J'aurai surpassé tous les autres !

Je me précipite sur la vitrine. Je parie que ma sculpture de pingouin est là.

NON. RIEN QUE DES DESSINS.

Des dessins nuls. C'est le moment d'entendre l'opinion de Nate Wright, critique d'art.

Pas mal, Ken, mais tu devrais t'en tenir à l'atelier de menuiserie.

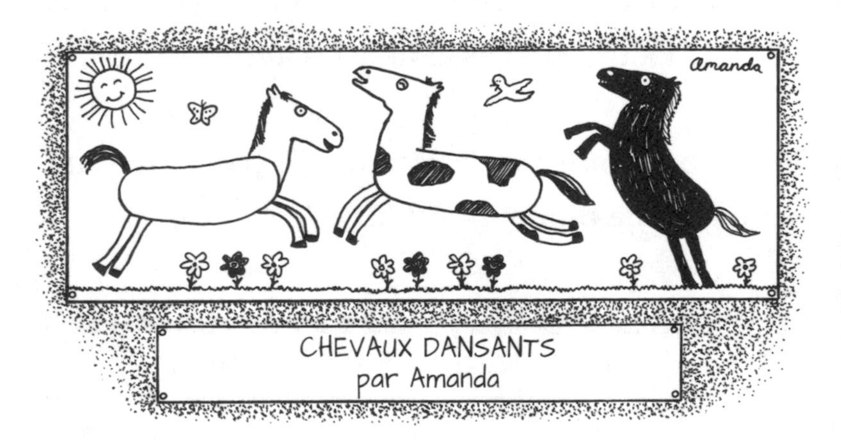

Désolé de briser tes rêves, Amanda, mais on dirait une bande de saucisses à pattes.

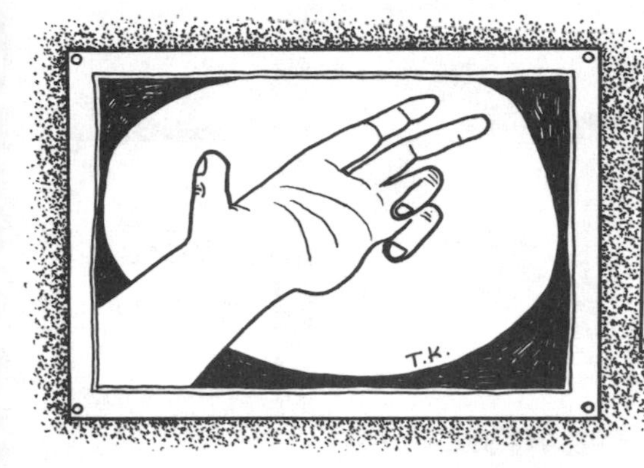

Cette MAIN-LÀ, je ne sais pas, Tammy, mais en tout cas, ton AUTRE main ne sait pas dessiner.

– ENCORE ? je balbutie. C'est le deuxième mois de suite qu'il y est !

– Il faut reconnaître, dit Teddy en collant le nez contre la vitre, que c'est un dessin assez fabuleux !

– Pas trop mal, dis-je, l'air pincé.

– Pas trop mal ? proteste Francis. C'est Picasso junior !

Ah, oui ? Depuis quand Picasso est-il connu pour ses dessins de CHAUSSURES ?

Oui, je sais, tout le monde adore Artur.

C'est tellement injuste. Pourquoi est-ce lui, la star de l'art ? J'ai fait des TONNES de dessins bien meilleurs que cette stupide CHAUSSURE… Celui-ci, par exemple.

REGARDEZ ! Mon dessin a tout ce qu'il faut : action, suspense, bain de sang potentiel. Il mérite la vedette autant que celui d'Artur ! Le moment est venu de protester officiellement.

Hein… ? Des demandes futiles ? DES DEMANDES FUTILES ?

Quoi ? On veut que je m'intéresse à des têtes de marionnettes, MAINTENANT ? Quel SCANDALE !

Je regarde la porte. La vitrine n'est qu'à quelques mètres. Si M. Rosa ne veut pas mettre mon dessin dans cette fichue vitrine, je vais le faire moi-même.

Francis étudie l'art de fabriquer des têtes de marionnettes :

Il me lance un regard soupçonneux.

– Pourquoi tu parles tout bas ?

– Chut ! Pas de questions ! dis-je dans un souffle.

– N'importe ! réponds-je. Détourne l'attention de Rosa pendant cinq ou dix secondes. Pas besoin de plus.

– Besoin pour qu… ? commence-t-il, mais je le fais taire.

M. Rosa s'approche.

Je lance à Francis un regard qui signifie : « Si tu es VRAIMENT mon meilleur ami, fais ça pour moi. » Son regard à lui signifie : « Tu es un crétin, mais si tu tiens à creuser ta propre tombe… »
Ce bon vieux Francis.

Je me glisse vers la porte et j'attends que Francis joue son rôle.

PARFAIT ! Toute la classe éclate de rire et pendant que M. Rosa essaye de ramener le calme...

je sors en douce...

... et HOP ! Je me retrouve devant la vitrine ! C'était presque trop facile !

Je n'ai plus qu'à ouvrir la porte. Et je mettrai MON dessin par-dessus celui d'Artur ! Hé, hé !

C'est une BLAGUE ? La porte est COINCÉE ! Je tire, je tire, sans aucun résultat...

... ET SOUDAIN, LA POIGNÉE SE CASSE ! !

Ouille ! Quel bruit ! J'espère que personne…

Devinez ce que M. Rosa sort de sa poche ?

Ouais. Un petit carnet rose.

Je regarde le bulletin qu'il me donne. Dans la case « motif », il n'a même rien écrit du tout.

Il a simplement dessiné une tête en colère.

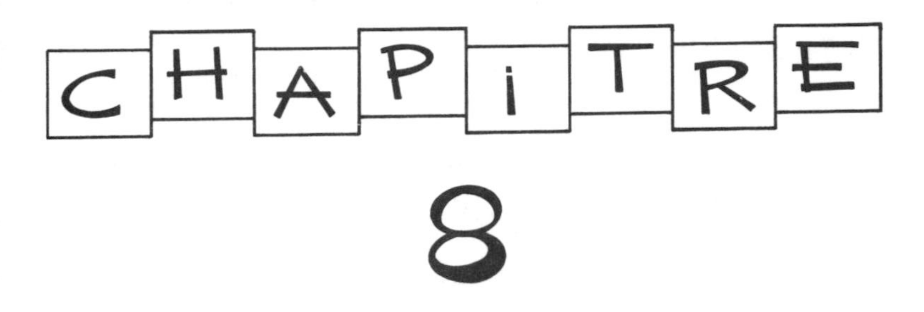

Ça sent la salade aux œufs, il n'y a pas assez de tables et les murs ont l'air d'avoir été peints avec du vomi de chat. Mais après cette dure matinée, je n'ai jamais été aussi content d'aller à la cafétéria.

Pardon, au cafétorium. Quel mot stupide.

– Je n'arrive pas à croire que Rosa t'ait mis une colle ! dit Teddy. C'est sa toute première de l'ANNÉE !

– Chester a pris notre table, dit Teddy.

C'est vrai. Chester est assis à ma place habituelle et regarde l'image de l'homme de Java dans notre livre de sciences.

– Bah, dis-je en ricanant, on va lui demander gentiment d'aller ailleurs.

On sait tous qu'il ne faut rien demander à Chester. Sauf si on a des dents en trop. Un jour, il a tapé sur le psychologue qui devait soigner ses crises de colère.

Trouver un autre endroit où s'asseoir est un vrai casse-tête. Examinons quelques possibilités :

LES SPORTIFS
La table idéale pour déjeuner si on aime les coups et/ou les shampooings à sec.
Tu veux encore tes frites ?
FROTT !
TOC !
BonJOUR, mesdames !
LA FORTERESSE
On peut essayer mais on n'a aucune chance.
regards glacés
Du vent !
LA TERRE DU MILIEU
Un monde bizarre occupé par d'étranges et effrayantes créatures.
Tu veux jouer au quiz d'Elfquest ?
Hein ?

On décide de s'asseoir avec notre copain Todd.

Oups, navré, mon vieux. (Ne pas oublier : le joufflu aux cheveux roux, c'est Chad, pas Todd.)

– Tu lis quoi ? demande Francis.

– *Le Livre des records du monde*, répond Chad.

Mes oreilles se dressent. Records du monde ?

– Qu’est-ce que tu veux dire par une AUTRE ? rigole Francis.

Je ne réponds pas et sors la prédiction de ma poche.

– Elle ne dit pas : « vous surpasserez vos camarades du collège 38 », fais-je observer. Elle dit : « Vous surpasserez TOUS LES AUTRES ! »

Je me mets à feuilleter le livre de Chad. Il y a bien un record que je pourrais battre. Il faut simplement trouver le bon.

Les ongles les plus longs ?

Non.

Le plus de tatouages ?

Je ne crois pas.

– Les cheveux les plus ridicules ? suggère Teddy.

– Silence, dis-je.

– Manger très vite ? dit Francis, l’air perplexe.

– REGARDEZ ! Ce type a mangé soixante hot dogs en dix minutes ! Et CELUI-LÀ, en dix minutes, il a mangé quarante-cinq parts de pizza !

Merci au maître de l’Évidence.

On réfléchit à ce que je pourrais manger en battant un record de vitesse et soudain, on voit des élèves qui vont vider leurs plateaux.

Je n'entends pas ce que dit Francis, mais quelques secondes plus tard, il revient avec des...

Des haricots verts ?

– On a PLEIN de haricots verts ! dit Francis.

– Paaaarfait ! dit Teddy, qui a compris... Personne ne mange JAMAIS de haricots verts !

Soudain, Francis et Teddy courent de table en table en demandant à tout le monde :

En quelques instants, je me retrouve devant un tas de haricots verts de la taille de l'Everest.

– C'est HORRIBLE, dis-je. Ils ont l'air gluants.

– Parfait ! répond Francis. Ce sera plus facile à avaler !

– Je n'ai pas faim, dis-je en protestant faiblement. On n'a qu'à faire ça demain.

Ce record du monde commence à me paraître beaucoup moins amusant. Comment me suis-je fourré dans ce piège ?

Une foule se forme peu à peu. Francis règle son chrono. Impossible de reculer, maintenant.

Attention…

Prêt…

J'attrape une poignée de haricots et les fourre dans ma bouche. Du jus de haricot froid me coule sur le menton. Je mâche une ou deux fois et j'avale. Ils ont un goût atroce mais ils arrivent à passer. J'enfourne une autre poignée.

Puis une autre… et une autre.

Une minute ? ? ? Ça fait seulement une minute que je mange ?

Oohhhhhhhhhh… Je ne me sens pas très bien.

La foule m'encourage, mais ça ne marche pas. Tout se coince dans ma gorge. J'ai la tête qui tourne. Des haricots à moitié mâchés volent de tous côtés. Fini le record du monde, j'espère simplement ne pas vomir devant la moitié de l'école.

Aïe ! Je connais cette voix. Alerte rouge.

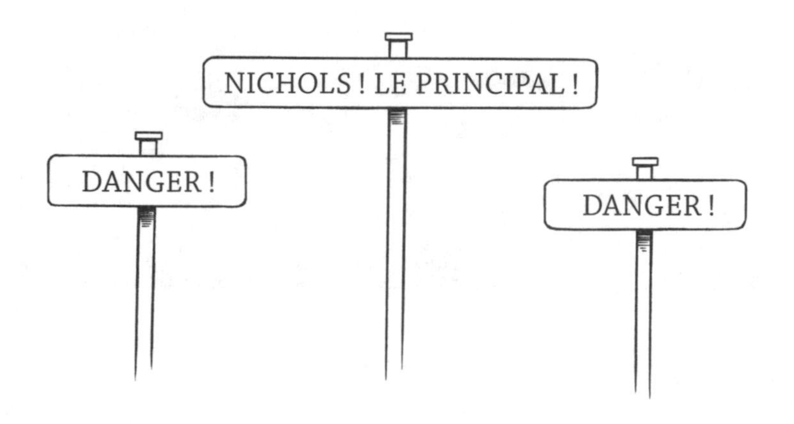

Il était gentil et amical quand je l'ai heurté de plein fouet. Maintenant, il n'a plus rien d'amical. Mon estomac fait un triple saut périlleux.

Je commence à parler mais les haricots dans ma bouche ne facilitent pas l'éloquence. En essayant d'avaler, je manque de m'étouffer. Il y en a trop.

Une seule chose à faire. Je me penche sur la table, en m'efforçant d'avoir l'air décontracté et...

... je crache les haricots.

Du calme. Ce n'est pas SI dégoûtant que ça. Un tas de haricots verts mâchés ressemble beaucoup à un tas de haricots verts NON mâchés.

Nichols paraît lui-même un peu verdâtre.

– Je… heu… je déjeune, c'est tout, dis-je.

– Tu déjeunes ? répète-t-il. Avec tous les sixièmes qui t'acclament ?

– Eh bien, l'heure du déjeuner est officiellement terminée, grogne le principal.
Il regarde les haricots éparpillés sur la table et sur le sol.

Il se dirige vers la porte et, en une demi-seconde, je vois exactement ce qui va se passer. On dirait un film au ralenti, mais je ne peux rien faire pour l'empêcher.

Nichols pose le pied dans une flaque de jus de haricots bien gluant,

ET…

Pendant un moment, j'ignore s'il est vivant ou mort.

J'ai de la chance. Il est vivant.

Mais maintenant, je ne me sens VRAIMENT pas bien.

CHAPITRE
9

J'AI DES FOURMIS
DANS LES FESSES.

Ça les tuerait de mettre des chaises moins dures ? On dirait un siège de toilettes.

J'essaye de ne pas penser aux fourmis qui descendent dans mes jambes. Si Nichols n'arrête pas bientôt de jacasser, je ne sentirai plus mon corps au-dessous du nombril.

Il me fait un sermon à propos des haricots verts. Assommant. J'ai entendu ça des milliards de fois. Les mots changent un peu mais, en gros, ça donne ça :

Quelle que soit la cause de mes ennuis, Nichols tient à me la décrire EN DÉTAIL.

Tu as alors mangé les haricots en faisant PLEIN de saletés ! PUIS tu en as craché une bouchée sur la table ! Et ENSUITE...

Oui, d'accord, je m'en souviens, j'étais là.

2. LA MAUDITE SŒUR

Il me compare à Ellen.

Ta SŒUR n'aurait JAMAIS fait une chose pareille !

Charmant. Qu'est-ce qu'il dirait si je le comparais à d'autres principaux ? (Je n'en connais pas mais il DOIT y en avoir de meilleurs quelque part.)

3. IL PRONONCE LE GRAND MOT.
Tu as en toi un tel...
POTENTIEL !
Et c'est nouveau, ça ?
Je le sais, mon vieux,
que j'ai un potentiel. Mais
je le réserve à des choses
plus importantes que l'école.

DONNE CE BULLETIN
À Mme CZERWICKI À
LA FIN DES COURS.

« L'affaire des haricots vert ? » On dirait un journal à SCANDALE. Hé ! Allô, de la Terre à Nichols : Je voulais battre un RECORD MONDIAL !

En plus, son sermon a débordé sur la cinquième heure et je suis en retard pour le cours de gym. La gym ! C'est peut-être là que je surpasserai tous les autres !

Peut-être dominerai-je tout le monde à la corde ou au volley-ball... Ou à ce que le coach Calhoun nous fera faire aujourd'hui.

Sauf que le coach Calhoun n'est pas là !

Le coach John est un ancien prof de gym du collège. Un retraité qui revient parfois comme remplaçant. Peut-être que c'est bien pour le collège, mais pour nous, c'est un vrai cauchemar. Parce qu'il est fou.

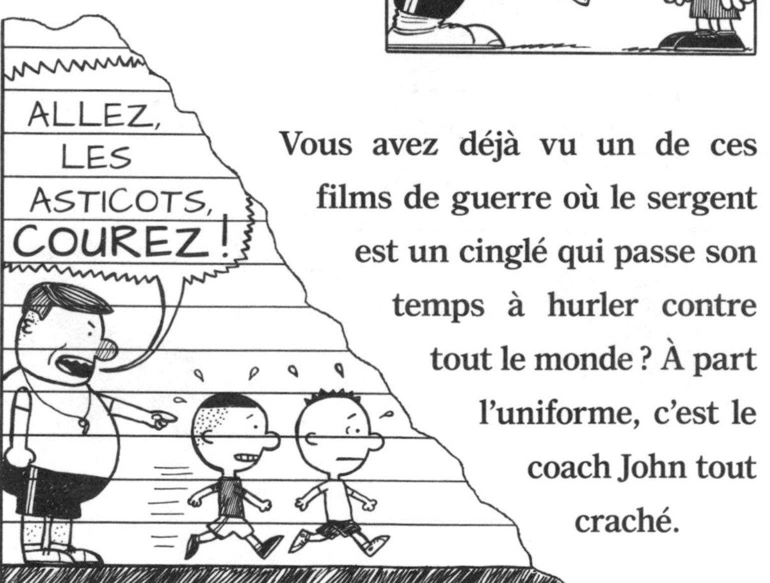

Vous avez déjà vu un de ces films de guerre où le sergent est un cinglé qui passe son temps à hurler contre tout le monde ? À part l'uniforme, c'est le coach John tout craché.

Je contourne les gradins en espérant arriver au vestiaire avant qu'il me remarque. Pas moyen. Il est incapable de voir ses propres pieds, mais MOI, il me repère tout de suite.

Le coach John a des problèmes avec les noms.

Voyez comme il est chaleureux et amical.

Je me glisse dans le vestiaire. Il est vide. C'est un soulagement. Je n'ai pas à affronter Alan Ashworth et sa Serviette Fatale.

J'enfile mon short et mon T-shirt et, en revenant vers le gymnase, je me vois dans le miroir. J'ai encore des restes de haricots verts sur les joues. Beurk.

Je vais vite me rincer. Je me penche sur le lavabo…

Oh, non ! Il y avait de l'eau sur le rebord ! Mon short est tout mouillé ! ! !

J'essaye de me sécher avec des serviettes en papier. Mais les taches ne partent pas.

Quel DÉSASTRE ! ! Qu'est-ce que je vais faire ? Je ne peux pas me promener COMME ÇA ! C'est comme si je portais une pancarte disant :

Je cherche désespérément autour de moi pour voir

s'il n'y a pas un autre short. Rien dans les placards ni dans les objets trouvés. Et JENNY qui assiste au cours de gym ! Elle va me prendre pour un parfait idiot !

– Qu'est-ce que tu fabriques ? Tu mets un smoking ? hurle le coach John. SORS DE LÀ ! !

...ET VITE !!

Gloup. Je n'ai plus le choix... ATTENDEZ ! ! !

Il y a un sac de sport sous le banc, près du vestiaire des profs. Et je vois dépasser du sac...

OUAIS ! Quelle CHANCE ! J'enlève mon short mouillé et j'attrape l'autre. Peu importe à qui il appartient, peu importe la couleur, peu importe la taille…

Enfin bon, pour la taille, ce n'est pas si simple.

Aïe, aïe, on dirait des habits de CLOWN ! Je ne vais pas pouvoir mettre ça !

BON, TOI, JE
COMPTE JUSQU'À

1...
2...
3...
4...
5...
6...
7...
8...
9...

Hou là ! Le coach est sur le point de me faire une crise de nerfs grand format. Il faut trouver un moyen d'attacher ce short. Et vite !

Ah ! Une pile de serviettes près des douches. J'en prends plusieurs...

VITE !
VITE !
ALLEZ !
DÉPÊCHE !
DU NERF !
CJ
ALLEZ !

... et je les fourre dans le short !

Je sais que j'ai l'air d'un crétinosaure mais j'ai réussi à faire tenir ce short. Et surtout, il n'a pas de taches.

J'arrive dans le gymnase. Toute la classe en rang fait des exercices d'assouplissement.

J'entends un ricanement. Puis un autre. Cinq secondes plus tard, tout le monde est plié de rire.

Sauf le coach John.

Une blague ? Je ne sais pas ce qu'il veut dire mais il semble prêt à m'arracher un bras. Je hoche la tête, jugeant préférable de garder le silence.

Il lève une main et montre mon short du doigt. Je ne comprends toujours pas.

Puis je vois…

CJ

… les lettres « CJ » sur son jogging.

Je ressens soudain un grand malaise. Je baisse les yeux sur mon short et je vois à nouveau les deux lettres « CJ ».

J'ai compris, maintenant. Il pense que je me moque de lui. Que j'amuse la galerie en faisant semblant d'être un coach John miniature.

Il est clair qu'il ne m'entend pas. J'ai du mal à m'entendre moi-même. Je ne vois que son visage gigantesque qui passe par toutes les nuances du violet.

– On va voir si tu riras encore… dit le coach John,

...APRÈS DEUX OU TROIS 400 MÈTRES !

Parfait. Voilà comment je voulais passer la cinquième heure :

à courir comme un fou.

Dans le short du coach.

Et l'estomac plein de haricots verts.

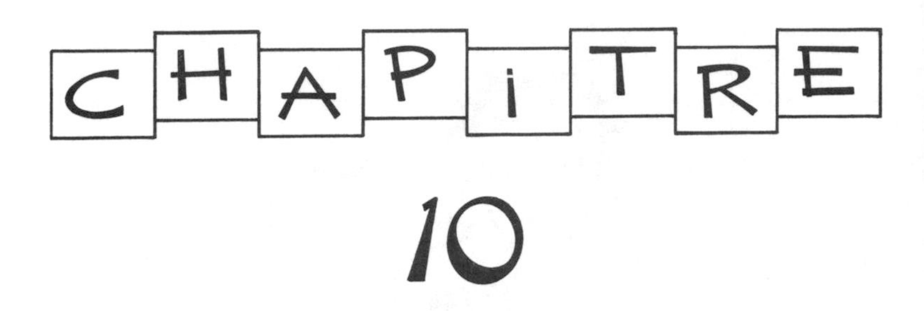

Encore un papier rose. Ça devient ridicule.

– Le coach m'a collé ! dis-je, furieux.

– Manque de respect envers un professeur.

Il s'est trompé. C'est plutôt LUI qui n'a aucun respect pour MOI. Il n'a même pas pris la peine de mettre mon NOM.

– On peut savoir
ce qui est drôle ?

– Il a raison, dit
Francis. Tu AS des cheveux bizarres !

Génial. En plus de tout le reste, mes soi-disant meilleurs amis prennent ma tête pour une boule à ressorts.

Cette journée commence à me déprimer.
– Encore un peu, je grommelle, et elle s'ajoutera à la liste des pires jours de ma vie.

LES PIRES JOURS DE MA VIE !
par Nate
1. LA FÊTE DE MES SEPT ANS
• Buster Glick m'a poché un œil en jouant au Twister.
SHTAK!
RAH!
• Deirdre Randall a vomi dans le bac de la pêche miraculeuse.
BLARRF!
• Cinq mots : Le pire magicien du monde.
Prends la carte que tu veux !
Non, pas celle-là.
2. LA SOIRÉE DE PATINAGE
Tous les sixièmes étaient là, Y COMPRIS LES PARENTS !
Résultat : humiliation totale.
OUAIS !
HÉ, NATE! SUPER, LES FIGURES DE TON PÈRE !
HA HA HA
HA HA

LES PIRES JOURS DE MA VIE ! (suite)
③ LE BAL DU PRINTEMPS
• C'était le soir où Jenny et Artur ont commencé à sortir ensemble. (Moi, j'étais coincé dans un slow avec Kim Cressly.)
(Soupir) Oh, Artur !
Ne m'écrase pas les pieds !
GLURK !
④ LA SORTIE EN FORÊT
HÉ, TOI ! SORS DE CE BUISSON !!
• Un fou en uniforme s'en est pris à moi.
• J'ai compris trop tard que la porte des toilettes était cassée.
YAHH !
Oups ! Excuse-moi, Nate !

– Attends, dit Francis, tu ne peux pas avoir toute une série de pires jours de ta vie. Par définition, le pire est forcément UNIQUE !

J'ai simplement dit qu'aujourd'hui POURRAIT entrer dans la liste. Rien d'officiel, encore. Il reste une chance pour que ce soit un GRAND jour…

– Je crois que tu insistes trop, déclare Teddy.

– Ça veut dire quoi ? je demande.

– Cette histoire de prédiction ! Tu essayes de la forcer. Laisse-la arriver. Détends-toi ! Laisse-toi porter ! répond Teddy.

Me laisser porter ? C'est quoi, ça ? Un stage de yoga ? On ne surpasse pas tous les autres en restant assis à respirer en cadence.

– Dépêchons, les gars, dit Francis. On a un cours de maths.

Je hais les maths. Je suis assez bon, mais mon cerveau se ferme quand Staples dit des choses du genre :

LES MATHS SONT PARTOUT !
ELLES VOUS SERONT UTILES TOUTE VOTRE VIE !

Toute ma vie ? Quelle joie !

On entre dans la salle de maths. Je sens tout de suite quelque chose de louche.

M. Staples n'arrose pas ses plantes, il n'écrit pas de problèmes au tableau. Il ne bavarde pas avec des élèves, il ne raconte pas d'horribles blagues.

Toc ! Toc !
Qui est là ?
Ella.
Qui, Ella ?
Du calme, c'est juste une blague !

– Qu'est-ce qu'il lui arrive à Staples ? je murmure. Il reste ASSIS.

– Qu'est-ce que tu veux qu'il fasse ? demande Teddy.

– Qu'il danse sur la table ?

Teddy ne comprend pas. Mais moi, si. Je sens venir les ennuis.

– Asseyez-vous, tous, dit M. Staples.

La classe fait silence. C'est bizarre. M. Staples ne nous dit JAMAIS de nous asseoir. Soudain, tous les autres remarquent enfin ce que j'ai déjà compris : un sale coup se prépare.

– S'il vous plaît, rangez vos livres et vos classeurs, demande-t-il.

– Vous avez trente minutes, dit M. Staples en distribuant les questions. Veuillez lire attentivement les probla bla bla bla bla bla bla bla bla bla bla bla bla…

Pendant qu'il jacasse, je jette un rapide coup d'œil aux questions.

Nom : ________________

Calculez la valeur de l'inconnue :

1. x : 43 = 1150
2. y : 50 = 92
3. n : 14 = 714
4. t : 60 = 49

Calculez la moyenne, la médiane et le mode :

5. 31, 169, 3, 38, 165, 105, 169, 64
6. 168, 44, 62, 25, 189, 26, 129, 92, 148, 62

Écrivez sous forme de fraction :

7. 0,16
8. 0,36
9. 0,625

10. Si on retranche 21 d'un nombre inconnu multiplié par 4, on obtient 31.
Quel est ce nombre ?

11. Si on ajoute 2000 et 11000000 à un nombre inconnu, on obtient 11110184.
Quel est ce nombre ?

12. Calculez 5/9 de 6579.

Douze questions seulement ? Ce n'est pas trop grave ! En une demi-heure, je devrais trouver toutes les réponses.

M. Staples en a fini avec ce qu'il avait à dire. Il regarde la pendule...
EEEEEET
ALLEZ-Y!

J'y vais. Je vous ai dit que les maths ne me passionnent pas, mais on n'a pas besoin d'AIMER quelque chose pour le faire bien. Je commence à répondre.

Celle-ci est facile...

... Celle-là aussi.

... Celle-ci et celle-là aussi. Je fais ça les doigts dans le nez ! C'est du GÂTEAU !

Je résous le dernier problème, vérifie mes réponses et pose mon stylo. Terminé !

Et vous avez vu ? J'ai fini avec DIX MINUTES d'AVANCE !

Je regarde autour de moi.

Teddy travaille encore…

Francis travaille encore…

TOUT LE MONDE travaille encore ! !

Je suis le premier à avoir terminé ! La supériorité de mon intellect l'a emporté. Hé ! J'AI SURPASSÉ TOUS LES AUTRES !

LA PRÉDICTION S'EST RÉALISÉE !

Bon, d'accord, surpasser tous les autres en maths n'est pas aussi excitant que de battre un record mondial, mais c'est toujours bon à prendre.

Je jette un coup d'œil derrière moi. Même GINA écrit encore ! HA ! HA ! J'ai hâte de voir sa tête quand elle s'apercevra que j'ai déjà fini alors qu'ELLE…

Eh oui, vous entendez ? Faites passer !

Attendez. Vérifiez vos réponses recto… verso ? Il a dit VERSO ?

Je retourne ma feuille. On dirait que mes yeux vont sortir de mon crâne !

Oui ! Il y en a HUIT autres ! Huit questions que JE N'AI PAS VUES ! ! !

Les autres rendent leurs copies. Pris de panique, j'attrape mon stylo. Je ne sais même pas ce que j'écris. Je griffonne des chiffres au hasard.

– Je prends ça, Nate.

Je sursaute.

M. Staples est devant moi. Il attrape ma copie.

NON ! Impossible de rendre ma copie avec huit questions en blanc ! Je résiste de toutes mes forces.

– Le temps est écoulé, Nate, grogne-t-il en essayant de m'arracher la feuille.
Je me cramponne. J'ai besoin de deux minutes, pas plus !
Mais M. Staples veut ma copie MAINTENANT et il tire très fort. Soudain, j'ai l'impression de lutter à la corde avec mon prof de maths.

Et je viens de perdre.

– On va échanger, dit M. Staples les dents serrées.

Il m'arrache des mains le bout de papier déchiré.

– Tu me donnes ÇA...

Un bulletin rose. J'essayais simplement de finir cette fichue interro écrite. Et je me retrouve avec une nouvelle retenue.

Les profs disent qu'ils sont contents quand on fait de notre mieux. Mais dès qu'on veut faire de notre mieux, ils nous en empêchent.

Il y a quelque chose de pas très logique, là-dedans.

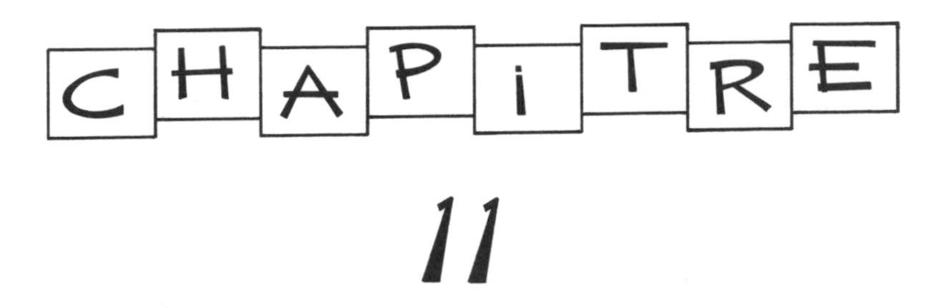

11

– Cette stupide prédiction ne m'a attiré que des ennuis, je grommelle en chiffonnant le bout de papier.

– Et mon poing dans la figure, ça vous plairait comme spectacle ? je demande.

– La journée n'est pas encore finie ! dit Francis.

– Arrête de rêver, dis-je. Il ne se passe jamais rien de bon, en sciences.

– Professeur Rigolard, ricane Teddy, très drôle, comme surnom.

– Si Galvin t'entend l'appeler comme ça, dit Francis, il ne trouvera pas ça drôle du tout.

– Pour lui, RIEN n'est jamais drôle, dis-je.

IL A AVALÉ UN PARAPLUIE.

– Ça, c'est vrai, approuve Francis.

Quelque chose vient de faire « CLIC ! »

– J'ai trouvé un moyen de surpasser tous les autres ! dis-je, surexcité. Personne n'a jamais réussi à faire RIRE Galvin ! Moi, je vais y arriver !

Francis me regarde comme si j'étais fou.

– Tu es fou, dit-il. Tu te souviens quand on a regardé tous ces vieux albums de photos à la bibliothèque ?

Bien sûr, je m'en souviens. On cherchait des photos drôles de profs – avec coupe de cheveux et vêtements ridicules. On avait déniché des albums d'il y a trente ou quarante ans. C'était hilarant.

M. Galvin enseigne au collège 38 depuis le Jurassique. (Un des surnoms que je lui ai donnés est G-Rex.) On a donc trouvé plein de photos de lui.

Des photos où il posait. (M. Galvin est toujours posé.)

M. Galvin—Sciences

D'autres plus libres. (On ne peut pas dire en pleine action pour un tel fossile.)

« Reculez tous. Ce nœud papillon est radioactif. »

Il y avait même une photo de lui au temps de ses implants capillaires.

Toutes ces photos avaient un point commun : M. Galvin ne souriait jamais.

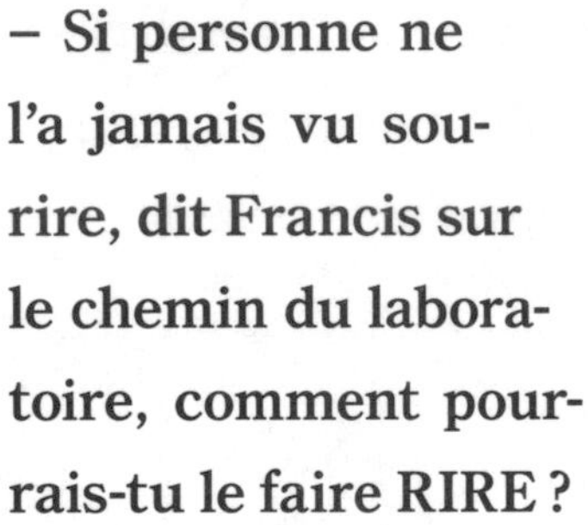

– Si personne ne l'a jamais vu sourire, dit Francis sur le chemin du laboratoire, comment pourrais-tu le faire RIRE ?

– Si quelqu'un doit y arriver, c'est moi, je réponds. Je fais TOUJOURS rire les gens !

– Oui, mais pas exprès, ricane Teddy.

DRRRIIINNGG !!

La sonnerie. J'entre en scène. On va rire !

Je décide de commencer par le bon vieux comique visuel. Quelques crayons bien placés, ça amuse toujours.

– Aïe ! Pas de réaction, dis-je en allant m'asseoir.

– Si, il y a une réaction, déclare Teddy. PLUS JAMAIS je ne t'emprunterai un crayon.

– Pour l'instant, je me chauffe, dis-je. Regarde bien ! Je vais passer au PLAN B !

– Veuillez ouvrir vos livres à la page… commence M. Galvin.

Je lève alors la main.
– Monsieur Galvin ? J'ai une question scientifique à vous poser.

Était-ce une esquisse de sourire ? A-t-il commencé à rire pendant une demi-seconde ?

Sans doute pas.

– Hé ! le roi du comique ! murmure Francis. Tu as fait un FLOP !

– Fiche-moi la paix, je réplique. Je n'ai pas encore sorti le grand jeu !

J'arrache une page à mon cahier. C'est une B.D. du Docteur Cloaque que j'ai presque terminée. Je sors mon stylo à dessin et j'ajoute encore quelques touches dans la dernière case.

– Monsieur G, dis-je en m'approchant de lui. J'ai quelque chose à vous montrer.

Il ne lève pas la tête.

– Absolument ! je réponds en lui tendant la B.D. Le héros est un DOCTEUR !

17e ÉPISODE: Un jour dans la SALLE D'OPÉRATION...
Docteur, j'ai un peu peur !
Allons, vous êtes en de bonnes mains !
Je suis un BRILLANT chirurgien ! Enfin, disons assez bon !
Je pourrais opérer les YEUX FERMÉS ! Infirmière, mon bandeau !
BAN-DEAU !
Donnez-moi le truc qui coupe.
FIN DE L'ÉPISODE
(Par Nate Wright, génie comique)

Il ne rit pas. En fait, c'est même tout le contraire.

– Tu me fais perdre mon temps, dit-il.

Il glisse mon stylo – mon stylo spécial dessin ! – dans la poche de sa chemise. Adieu, stylo.

Je me traîne jusqu'à ma table.

– Carton rouge pour le champion, murmure Teddy.

– Tu n’as pas su chatouiller son sens de l’humour.

Ça vaut la peine d’essayer. De toute façon, RIEN d’autre n’a marché.

Il y a un plumeau sur l’armoire à fournitures. M. Galvin s’en sert pour nettoyer les éprouvettes et les vases à bec.

Doucement… Il faut agir en souplesse. Me glisser derrière lui.

Eeeeeeeeeeeeeeeeeeeeeet…

– J'étais… je voulais… heu… je balbutie.

– SILENCE ! rugit-il. Retourne à ta place et restes-y ! Si je t'entends encore…

Que faire ? Je retourne à ma table en traînant des pieds, me laisse tomber sur ma chaise et regarde devant moi…

… une minuscule petite tache sur la chemise de Galvin.

au stade qui
commence sous la form
des centaines d'œufs blancs
vitesse de croissance considérable
à plusieurs reprises au cours de c
que le rythme de croissance, mais
est substantielle. En réalité, elle
'étape suivante de la croissan
dure presque aussi longte
qu'il se transform
LE S
ENTR

La tache grandit… Elle grandit !… GRANDIT !

Mon STYLO ! Il a dû perdre son capuchon dans sa poche !

Et ce qui est drôle, c'est qu'il n'a rien vu !

MMMPH !
HI ! HI ! HI !

Ah, ça y est.

Il me regarde fixement.

– Tu trouves ça AMUSANT, Nate ?

Je sais que je devrais répondre non. Ou au moins rester impassible. Mais cette énorme tache sur la chemise de M. Galvin a quelque chose de… de…

J'essaye de me retenir. J'essaye vraiment. Mais je ne peux pas. Quand je retrouve mon sérieux, M. Galvin me tend un papier rose : cinq heures de colle.

Peut-être qu'un jour, je rirai en y repensant.

CHAPITRE 12

Il est 14 h 59.

Les cours s'arrêtent dans exactement une minute. Un jour normal, je serais ravi. Je compterais les secondes, prêt à bondir de ma chaise avec des projets plein la tête pour occuper le reste de l'après-midi.

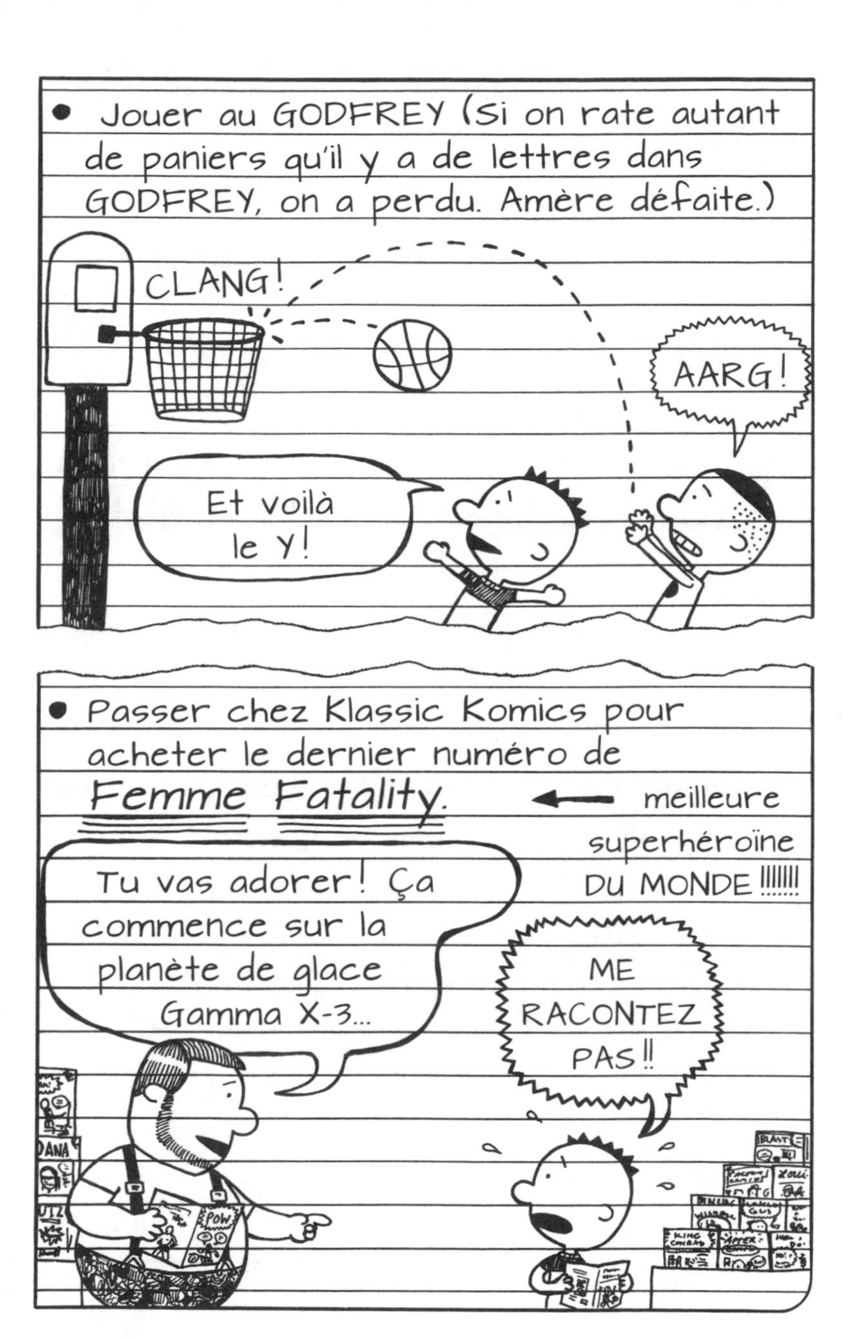
• Jouer au GODFREY (Si on rate autant de paniers qu'il y a de lettres dans GODFREY, on a perdu. Amère défaite.)
CLANG!
AARG!
Et voilà le Y!
• Passer chez Klassic Komics pour acheter le dernier numéro de Femme Fatality.
meilleure superhéroïne DU MONDE !!!!!!!
Tu vas adorer! Ça commence sur la planète de glace Gamma X-3...
ME RACONTEZ PAS!!

Mais il n'y a plus rien eu de normal aujourd'hui depuis… depuis…

Je pense que la cloche a dû sonner. Tout le monde s'en va.

Autrement dit, ils quittent les lieux. Ils rentrent chez eux. Et pas seulement les élèves.

« Bonne journée ? » Il est sérieux ? D'abord, la journée est finie. Ensuite, il SAIT déjà que ma journée n'a pas été bonne puisqu'il est un de ceux qui ont inauguré le festival des retenues.

Les profs sont parfois idiots. Je dis « parfois », mais c'est plutôt « toujours ».

Tout se vide en un instant. Et avant d'avoir compris ce qui se passait...

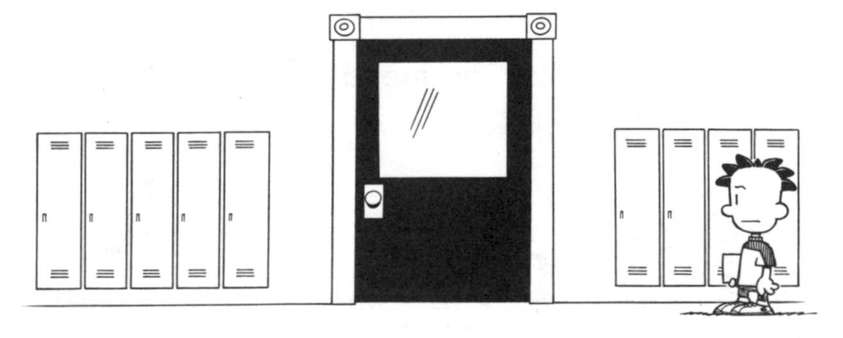

... je me retrouve seul.

Rien n'est plus affreux que de rester coincé au collège à la fin des cours. Essayez un jour.

Tout va très mal. J'entends presque les murs se moquer de moi.

Silence, les murs.

Inutile d'attendre. Je me dirige vers la salle de retenue.

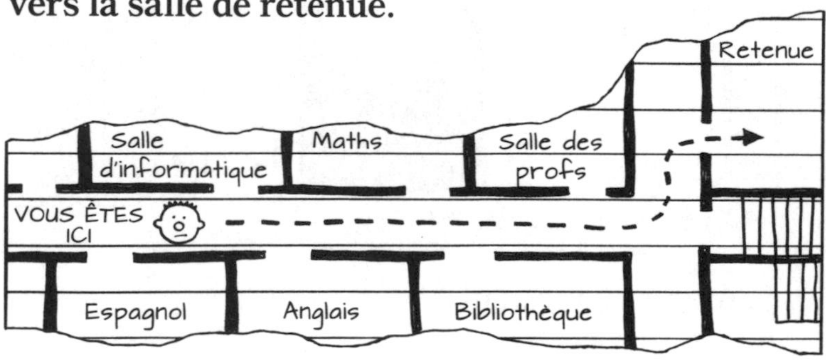

Je reconnais que j'ai eu pas mal de colles. Et même tellement que Teddy en a fait une plaisanterie :

Je n'ai pas dit que la blague était drôle.

Ma dernière colle remonte à la vente de gâteaux pour le club d'échecs.

Francis et moi, on s'occupait de la table. On ramassait pas mal d'argent, surtout avec les fabuleuses tartes au citron que fait sa mère.

N.B. LE GÂTEAU AU YAOURT DE PAPA N'AVAIT AUCUN SUCCÈS.
5
GÂTEAUX

Il y avait un monde fou. J'ai vu un élève du nom de Randy Betancourt prendre une tarte au citron d'un air innocent et la cacher dans sa main.

Il essayait de s'en aller sans payer.

– Payer pour quoi ? a-t-il dit d'un air innocent.

Il a jeté la tarte au citron et…

… ELLE A ATTERRI SUR MME GODFREY !

Personne n'avait vu la dispute avec Randy mais TOUT LE MONDE a regardé quand la tarte s'est écrasée sur le derrière de Mme Godfrey.

Bien sûr, elle l'a cru. Scandaleux. Est-ce qu'elle a demandé MA version de l'histoire ?

Elle a sorti son carnet rose et m'a mis une colle À côté d'elle, Randy avait un regard qui voulait dire : « C'est toi qui as des ennuis, pas moi. »

À ce moment-là, une voix dans ma tête m'a dit :

J'avais déjà une retenue, non ? Puisque j'étais puni, autant que ce soit pour QUELQUE CHOSE plutôt que pour RIEN !

Alors, je suis passé à l'action.

Ce jour-là, j'ai fini avec CINQ retenues. Mais, au moins, Randy avait eu ce qu'il méritait.

C'est ce qui me tracasse avec toutes ces colles qu'on m'a mises aujourd'hui :

J'entre dans la salle. Parfois, il y a d'autres élèves, mais aujourd'hui, je suis seul avec Mme Czerwicki.

À PROPOS DE MME CZERWICKI

Pendant les retenues, elle lit des romans à l'eau de rose avec des titres du style Les Flammes du désir *ou* Vagues ardentes.

Elle pose son livre.

– ENCORE, Nate ? soupire-t-elle.
Je hausse les épaules.

Vous entendez ça ? Bulletin au singulier. Le pace-maker de la brave dame va griller un fusible.

– En fait… heu… Il y en a plus d'un, dis-je en fouillant dans ma poche.

Mme Czerwicki hausse un sourcil.
– Combien, en TOUT ? demande-t-elle.

Je pose une liasse de bulletins roses sur son bureau. On dirait un monstre de papier.

– Nate ? dit-elle. Combien de professeurs t'ont collé ?

– Tous, je réponds…

Mme Czerwicki paraît ébahie. Elle étale les bulletins sur son bureau comme si elle jouait au solitaire.

Elle hoche la tête.

– Un record ? je répète. Quel genre de record ?

– Au cours des années, plusieurs élèves ont reçu quatre retenues dans la même journée. Quelques-uns en ont reçu cinq. Un seul en a eu six.

Attendez.

– Ça voudrait dire que j'ai…

Mme Czerwicki fait une grimace.

– On peut sans doute dire ça de cette manière.

– C'était donc vrai ! je m'écrie.

– C'ÉTAIT VRAI !

Mme Czerwicki a l'air complètement perdue, ce qui n'est pas nouveau. Elle enlève ses lunettes, se frotte les yeux et dit :
– Assieds-toi, Nate.

– M'asseoir ?
Avec joie !

Sur la table, il y a un dessin que j'ai fait la dernière fois. (On ne doit pas dessiner sur les tables, mais qu'est-ce qu'ils croient ? Qu'on va rester immobile pendant les retenues ?)

Hé, je n'ai jamais signé ce dessin ! Je jette un coup d'œil pour être sûr que Mme Czerwicki ne regarde pas, puis je sors un stylo et écris :

par *Nate Wright*

RECORDMAN DU COLLÈGE

« Recordman du collège. »

Bon, d'accord, ça ne me vaudra pas un de ces trophées qu'on met en vitrine mais un record est un record. Je suis officiellement entré dans l'histoire du collège 38. Quand on y pense, j'ai eu de la chance d'avoir toutes ces retenues.

J'ai du mal à croire à ma bonne fortune.

Lincoln Peirce

habite à Portland, dans le Maine, avec sa femme et ses deux enfants. Tout jeune, il se délecte des aventures de Charlie Brown et Snoopy. Plus tard, il fait des études d'art tout en publiant des strips puis enseigne pendant trois ans dans un lycée de New York. Lancé en 1991, le comic strip mettant en scène Big Nate figure aujourd'hui dans plus de deux cents magazines et est publié chaque jour sur le site comics.com. Six volumes de ses aventures sont à paraître aux États-Unis.

Le tome 2 arrive bientôt !

LES AVENTURES
D'ULTRA-NATE
SUPER SIXIÈME!!
Un jour au collège
Quel curieux bruit!
Oh, NON!
STOMP! STOMP! STOMP!
C'est Mme GODFREY, alias GODZILLA!
Elle nous fonce dessus!
STOMP! STOMP!
Voilà une mission
pour ULTRA-NATE!
SHRIP!
Hooo! On sent son HALEINE À L'OIGNON!
HAAAAAH
ULTRA-NATE ouvre son CASIER DE JUSTICE et
SHHLAAP!
Tu l'as BALAYÉE!
FIN!!